Oscar be

ITALI

AGOS

AMYNEXIL

DERCOS

di Margaret Mazzantini

nella collezione Oscar

Manola
Non ti muovere
Venuto al mondo
Zorro

MARGARET MAZZANTINI

MANOLA

OSCAR MONDADORI

I edizione Scrittori italiani novembre 1998
I edizione Oscar bestsellers novembre 1999

ISBN 978-88-04-47213-1

Questo volume è stato stampato
presso Mondadori Printing S.p.A.
Stabilimento NSM - Cles (TN)
Stampato in Italia. Printed in Italy

Anno 2011 - Ristampa   21

Voglio dire grazie ad Antonio Franchini, per l'ardore e la pazienza.
Grazie a Enzo Muzii, amico certo, mio infaticabile lettore. Grazie a
Roberta Melli, per il bene che ha voluto a questo libro. Grazie a
Nancy Brilli, che in teatro ha trapiantato il suo cuore in quello di
Anemone. Grazie a Moira Mazzantini, sensibile sentinella, e grazie a
Carla Fattinnanzi, amica magica. Infine grazie a Sergio Castellitto
per le mille e più ragioni che solo lui sa.

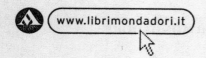

www.librimondadori.it

Manola

Alle sorelle

Ortensia

L'inizio. Il problema è l'inizio.

Ho tante cose da raccontarle, Manola. Sono così piena. È una pienitudine piuttosto dolorosa, mi creda. Lo so, basterebbe buttare lì il primo sassolino, a caso. Temo che verrebbe giù una irrefrenabile slavina.

Non ho nulla di personale contro di lei, anzi quel turbante di stoffa intignata che ha sul capo mi piace molto. Però ho bisogno di calma. Si rende conto di quanti equivoci possono nascere da un inizio sommario? Partire con il piede sbagliato sarebbe catastrofico, l'errore iniziale si ripeterebbe milioni e milioni di volte, come l'errore cromosomico in un embrione. Non possiamo permettercelo. Almeno io, nella condizione in cui mi trovo, non posso permettermi un altro passo falso. Non è maniacalità la mia, è prevenzione. Eppure sento che devo fidarmi, devo lasciar ruzzolare nelle sue esoteriche mani la mia slavina vitae, d'altronde non ho alternative.

Si sarà accorta di primo acchito che non sono una cliente abituale. È stato il caso a condurmi qui, e lei sa bene che il caso non esiste, è un artiglio nel caos di qualche nostra misconosciuta volontà. Il fatto è che io ho sotto il mento una sacca, dov'è racchiusa tutta la mia infelicità. Vorrei che lei mi aiutasse a sbarazzarmi di questo malefico gozzaccio che mi sciaborda sotto pelle.

Se ha intenzione di rifiutarmi, lo faccia senza remore, sono abituata alle porte sbattute sul grugno. Se invece accetta, si rimbocchi le maniche, sarà un lavoro molto duro, inutile nasconderlo. Io sono un essere sensazionale, avrà modo d'accorgersene. Le darò tutte le mie coordinate astrali e terrestri. Se ne stia zitta, accoccolata nel suo scranno, e mi lasci parlare. Non le chiedo altro che stare lì ad ascoltarmi, esattamente come sta, immobile, dietro quella sfera di vetro, con le mani annodate sul grembo.

Io sono per le libere associazioni. Sulle mie magre spalle pesano svariate primavere di analisi freudiana. Ho scelto la terapia freudiana proprio per non essere interrotta. Perciò, anche quando resterò muta, la prego, non interrompa il mio silenzio. Lei non può sapere cosa significhi per me avere un pensiero davanti allo sguardo e non riuscire ad afferrarlo. Eppure, fino a un attimo prima era perfetto, stampato nel nitore, aureolato dall'arcobaleno della mia immaginazione. Manola, le chiedo: esiste secondo lei un luogo che raccoglie tutto il pensiero smarrito dagli uomini? E il Pensiero, che fluttua sul capo dell'umanità come uno sciame di vespe cercando un varco in un cranio a caso, è sempre lo stesso da sempre?

Io, Manola, ho una testolina porosa, capace di accogliere la grande energia universale che ci sovrasta. Purtroppo, però, sono una pericolosissima ricevente senza spurghi. Un ordigno, sono. Non si allarmi, ma io potrei esplodere qui davanti a lei, in questo preciso istante.

Guardi la treccia dei miei capelli, si accompagna meravigliosamente al mio stile crepuscolare, come un'abbadessa al suo convento. Non l'ho mai scorciata. Io, Manola, non butto via niente di me. Ogni cosa, anche la più logora, conserva dentro di sé un sussurro che non posso permettermi di smarrire. La treccia è la mia miccia. Sovente vedo qualche fiammella sprigionarsi oltre l'arco della fronte, mentre la treccia, lentamente, si solleva in aria. Forse un giorno finalmente mi condurrà con sé. Il mio corpo si sgretolerà in un pulviscolo magnetico, e io sarò ovunque.

Anemone dice che la mia chioma sembra un cesto di raffia sbruciacchiata. Mia sorella è così incredibilmente prosaica! È una sorta di uccello del paradiso, un goffo impiastro variopinto, eppure non conosce la levità aerea dei volatili, ha il passo terrestre di un trattore a cingoli.

Forse verrà a farle visita, tanto per infilare il suo volubile becco in un nuovo nido. Non si preoccupi, resterà giusto il tempo necessario per dimenticare qualcosa che non tornerà mai a riprendere. Io invece tornerò. La mia affidabilità è pari solo alla mia intensità. Anche se a volte penso che sarebbe stato meglio essere un cerino, una cosetta che brucia in fretta, in questo mondo di accendini senza ricarica.

Anemone

Sono in ritardo? Io sono sempre in ritardo, però detesto i ritardatari, detesto quelli che si approfittano del mio tempo, come se fosse meno prezioso del loro. In quanto al tempo degli altri, non è colpa mia, ma non riesco proprio a stargli dietro.

Gran bella baracca questa sua roulotte: l'acqua calda c'è? Quando l'ho vista arrivare, Manola, sulle prime ho pensato che lei fosse scappata da un manicomio. Sarei venuta comunque a farle visita. Io adoro le chiacchiere, adoro il suono delle cose a vanvera, dei barattoli spinti da un piede, a caso. L'ho vista dalla finestra del cesso, io ci passo le ore lì dentro, è il miglior posto del mondo. Mi occupo della mia persona. Sono ben equipaggiata, e mi sembrerebbe indecente non prendermi cura del mio patrimonio corporale, sarebbe, come dire, un vero e proprio schiaffo alla miseria.

Se vuole, a tempo perso, posso venire a darle una mano per organizzare con più criterio questo pandemonio di roba che la circonda. Ma detto tra noi, le consiglio di lasciare tutto fuori posto. Anch'io ogni tanto penso che dovrei riordinare il mio armadio, ma poi mi stanco, a pensarci, dico. Io sono per la pala meccanica. Una bella pala meccanica una volta ogni tanto, che s'acchiappa il vecchiume e lo spappola, e poi si ricomincia.

Io detesto il passato, mi piace la roba di giornata. Se una sta sempre a guardarsi indietro trova una carrettata di cose storte per le quali crucciarsi. Il futuro non lo so cos'è. Di sicuro dura poco, come tutto. Ogni volta che mi cade sul collo una preoccupazione, io penso subito che comunque sia finirà, e che presto arriverà un altro presente bello pulito. Allora mi siedo ad aspettarlo, ed evito inutili sofferenze. Tanto, Manola, si sopravvive sempre e comunque, e tutti si consolano.

Io sono una persona contenta, ho un bel sole sopra di me, e un paio di mutandine di lurex luccicante sotto di me. E questo mi basta. Badi, però, non sono affatto cretina. Penso semplicemente che la vita è corta. Mia sorella dice che la vita è lunghissima. Ortensia si ricorda tutto, tutte le cose brutte, dico: è un'archivio di schifezze, lei.

Se le capitasse di incontrare un barbagianni sotto una grande cappa nera, non si spaventi, quel pennutaccio, senza dubbio, è mia sorella. Ma stia tranquilla, Manola, non credo che verrà mai a farle visita. Ortensia disprezza chi professa la magia, dice che è roba da minorati culturali. In verità ha il terrore che qualcuno possa leggerle la mano. Vuole deciderlo da sola il suo futuro, senza lasciarsi influenzare. Non avrebbe tutti i torti, solo che non mi fido delle sue decisioni. Io credo che ci siano miliardi di destini a disposizione per ognuno di noi. A volte mi capita di chiudere gli occhi e vedere il film di una mia possibile vita, con le faccende importanti e anche con tanti stupidi dettagli, in maniera così realistica che mi stanco Allora abbandono

11

quella vita prima che sia troppo tardi, e ricomincio subito con un'altra. È fantastico vivere, la gente non se ne rende conto. La gente è davvero cieca. Lei crede nella reincarnazione?

Io sogno sempre di volare, forse sono stata un'aquila reale in una delle mie vite precedenti. Una volta ho fatto un viaggetto con la Reincarnatio Tour, dovevano portarmi a Karaganda, invece mi hanno ficcato in un alberghetto senza stelle nell'entroterra lucano, raccontandomi che ero la reincarnazione di una femmina da conio del Settecento. Una puttana, per intenderci.

A me piace molto viaggiare, perché a me piace perdermi le cose. Mi riempie di gioia pensare che un mio bikini sia rimasto sulla riva del lago Ciad, e una mia forcina in un cassetto pieno di sabbia e ragni rossi a Timbuctu. D'altronde non ho autocontrollo. In compenso possiedo molta autostima, un bene prezioso, perché il mondo intorno tenta continuamente d'abbacchiarti. Del *push-up* io non ne ho bisogno: il mio seno è libero come un cardellino. È tutta una questione di yang e di yin. Se tu sei yang, anche il tuo didietro sta al posto giusto, garantito.

Mia sorella, invece, è terribilmente negativa, terribilmente yin. È magra come una stringa di liquirizia eppure se la spogli è piena di cellulite, ha la cellulite pure sui gomiti, una cosa mai vista. Voglio dire, non si vede perché è completamente ricoperta di peli. Sì, Ortensia è affetta da irsutismo idiopatico costituzionale Praticamente un orangutan. Povera mamy, in gravidanza ebbe un mucchio di nausee per colpa di tutto quel crine che Ortensia stava sputando fuori a più non posso

Ortensia

Siamo gemelle, io e Anemone. No, non monozigote. Ognuna ha avuto il proprio ovulo. Fortunatamente. È una circostanza piuttosto fastidiosa. Credo che chiunque abbia il diritto di trascorrere almeno i suoi nove mesi prenatali in santa pace. Anemone aveva una forte pulsione a invadere, era un feto molto forzuto e strafottente. Io adoro mia sorella, Manola, è quel genere di personcina folklorica che non si può non amare. Tutti la amano. Temo che quella credenza popolare della camicia di fortuna per i nascituri abbia un suo fondamento di verità. Ho il sospetto che mia sorella, alle ventitré, cinquantanove minuti e quarantasette secondi di quel lontano giovedì sedici novembre, sia nata avvolta da un poderoso camicione idrorepellente. Tutto le scivola addosso senza ferirla.

Io invece sono venuta fuori dopo un po'. Non si erano accorti che ci fossi anch'io. Il ginecologo di mia madre, auscultando il suo robusto pancione, disse che si trattava d'un maschio, di un solo, formidabile, maschio. Sono nata alle zero zero del diciassette novembre, venerdì. Tredici secondi di ritardo che hanno influito in maniera catastrofica sul mio oroscopo astrale. Nacqui podalica. Mi affacciai col mio didietro ruvido e rugoso, e venni fuori violacea, piuttosto pelosa, sembravo un piccolo struzzo. Mia madre appena mi vide mi vomitò addosso.

Credo che laggiù, in fondo all'utero, io sentissi che le stavo nuocendo, per questo mi rincantucciavo. Credo si trattasse di un microscopico senso di colpa prenatale, e di conseguenza feci di tutto per non uscire, per non dover affrontare il resto. Lo so perché ho frequentato un corso di reintegrazione primaria in una vasca d'acqua tiepida, e ho potuto, quindi, rivivere la mia vita intrauterina senza la mia impermeabile sorella. Anemone si era offerta di accompagnarmi. Le ho detto: «Grazie del pensiero, cara, ma almeno il *rebirthing* voglio farlo da sola!».

L'unico veramente felice del raddoppio fu mio padre, che adorava le bambine. Mentre mia madre stava facendo il secondamento, lui si scatenò in una *tyrolienne* montanina sull'aia insieme al marito della levatrice. Bevve e ballò tutta la notte, sotto le stelle, cercando i nostri nomi lassù nel firmamento. Poi stramazzò ubriaco in un campo di fiori, e così...

Manola, lei conosce la favola della principessa rana? «Rana, rana...»

«Chi è che mi chiama?»

«Giovannin che poco t'ama.»

«Se non m'ama m'amerà quando bella mi vedrà...»

Anch'io mi sono sempre sentita una principessa costretta nel corpiciattolo d'una rana dall'incantesimo di una strega malvagia. Mia madre non era una strega, anzi, era una donna piacevolissima, solo molto fluttuante. È nata su un aereo della crocerossa, in tempo di guerra, e non si è mai adattata alla terraferma. Camminava sempre scalza. Tante volte, all'imbrunire, l'ho spiata allontanarsi sulle scale verso l'alto, fino all'ultima terrazza. Faceva un passo oltre la ringhiera, e rimaneva lì, con l'aria sotto i piedi, a guardare l'infinito.

Sono nata asciutta asciutta, come una sarda sotto sale. Sarda secca è il mio soprannome, per via della magrezza, o Zerbinaccia, Gramignaccia, Grusbona, per via dei peli, o Chiorbona, Sorbona, Zuccona di fosso, per il capoccione, o Pustola di fiele, per i bubboni, o Recchia di lepre, per le orecchie a padiglione aguzzo. È stata Anemone ad appiopparmi tutti questi nomignoli. Ha una fantasia così fervida quel tesoruccio! È alta due spanne più di me, ha seni e natiche da guerriera del Walhalla; ma è rimasta una bambina.

Manola, io detesto i soprannomi. Li trovo vagamente criminali. Una povera creatura diligente s'è aggiustata nel migliore dei modi, s'è infilata la mascherina, i guanti, nove paia di collant tricocoprenti: che bisogno c'è di rivelare a tutto il mondo sganasciandosi dal ridere che lì, sotto i miei pannucci, c'è una selva, a causa dell'abnorme sviluppo del sistema pilifero? Ma Anemone non rinuncerebbe a una battuta per tutto l'oro del mondo. Gode nel compiacere l'umanità, anche quella più mediocre. La lusinga avere dalla sua una platea di bocche spalancate, sempre pronte a lasciar vibrare la giugulare sotto quella orrenda raffica di singulti isterici. Manola, io detesto le risate. Quanto a magrezza, posso dirle che non sono sempre stata così sfrussatina. Adesso, è vero, peso trentanove chili e trecento grammi, contro il metro e settantatré centimetri di altezza. Ma a me va bene così. Non so proprio cosa farmene della carne.

Comunque, ho avuto anch'io il classico periodo di

pinguedine infantile. Poi un giorno cominciai a dimagrare. Credo che sia stato per via dell'albergo. A pianterreno, il ristorante era sempre in funzione, e io mi trovavo costretta a inalare senza tregua mefitiche esalazioni culinarie, che mi ricordavano di avere un corpo biologico, mentre io volevo solo un corpo animico. È davvero avvilente, Manola, svegliarsi al mattino con l'odore di broccoli ripassati e di tordi ripieni in fricassea spalmato sul cuscino, mentre aneli solo una piccola tisana di fucus. Smisi di nutrirmi completamente. Divenni sempre più eterea nell'intento di allontanarmi da questo mondo che non mi amava. Speravo che qualcuno captasse il messaggio deposto nella teca dei miei ossicini affioranti. Ma il mio era un sos lanciato nel vuoto. La gente mi urtava, si pungeva contro i miei spigoli, e incurante correva a sgargarozzarsi nel salone dei banchetti.

I miei genitori mi lasciavano smagrare in santa pace, con il mio bagaglio d'infelicità, tenendomi a distanza come un lebbroso con i suoi campanelli. Erano molto immaturi, Manola, e inoltre mi temevano. Credo che mi considerassero il frutto di un malvagio nodo che avevano nel karma; una punizione, insomma, per qualche lontano trascorso. Certo non somigliavo a nessuno di famiglia. Somigliavo a una di quelle grigie cornacchie, che talora, al tramonto, si posavano sugli alberi più alti, interrorendo mia sorella. Sono sempre stata una bambina specialissima, capace, mio malgrado, di mettere in soggezione chiunque. I miei vecchi mi lanciavano perplesse occhiate e tiravano avanti. In ogni caso, poverini, non avrebbero avuto il tempo per badare a me. I clienti assorbivano tutte le loro energie.

Lei non ha idea, Manola, di come siano esigenti i clienti di un albergo. Room-service, biancheria sempre fresca, profilattici. Montagne di profilattici a tutte le ore del giorno e della notte. Una banda indefessa di depravati amplessatori! Io mi sentivo in dovere di aiutare la mia famiglia. Le chiedo, Manola: è bene che una bambina piena di crucci esistenziali debba correre su e giù da una stanza all'altra, porgendo nelle fessure delle porte su un piccolo vassoio d'argento oscene guaine di gomma a lercissime manacce maschili? Torno a chiederglielo, Manola: è bene?

Mamy era sempre molto stanca. La trovavo imbambolata dietro al banco della concierge. Suonavo il campanello e lei si sbambolava di soprassalto.

«Che colore di camera ha, signore?»

«Mamma, sono io, Orty.»

«Oh, scusami, cara, ero soprappensiero.»

«Mammina è un pezzo che non faccio la grossa.»

«Non preoccuparti, cara, purtroppo siamo sottomessi alla legge di gravità. Ogni cosa, prima o poi, cade in basso.» Faceva scattare il cassetto della cassa e vomitava là dentro.

Mamy non aveva una grande manualità, e le riusciva difficile tenere in braccio un marmocchio per il verso giusto. Il fatto che io e mia sorella fossimo passate attraverso la sua pancia non le pareva così importante. Per lei, tutti i bambini del mondo erano uguali. Li scrutava con uno strano interesse, come si fa con certi insetti esotici. Era assolutamente sprovvista di senso del possesso, e i legami di sangue la infastidivano come i colletti chiusi negli abiti. Stringeva, invece, in un batter d'occhio, formidabili amicizie occasionali, che poi dimenticava con identica disinvoltura.

Tuttavia, ho sempre nutrito il timore che tra me e la mia gemella preferisse Any, perché le sembrava molto femminile. Mamma non era affatto femminile, le sarebbe piaciuto esserlo, ma in realtà aveva i piedi piccoli e la bocca enorme. Sembrava un cavallo.

La notte sognavo che tutti i peli si staccassero da me. Li sentivo disbulbarsi e rimanere sul guanciale, per potermi presentare davanti a mamy come un meraviglioso angelo implume, affinché lei potesse contattarmi senza conati. Invece mi venne l'alopecia, una piccola chierica mistica. Sono cose che capitano. Lucianella, la mia sublime analista, me l'ha spiegato: per esprimere un malessere interiore, la psiche s'accanisce su una parte del corpo che possa avere un significato simbolico. Ho perso tanti capelli e neppure un pelo. Manola, lei non trova che io abbia un capo ciclopico?

Anemone

Ma lei, Manola, esattamente cos'è? Una prana, una sensitiva, una teosofa, un'antroposofa, un'alienista? Riesce a vederla l'aura, quella polverina fosforescente che circonda ognuno di noi? Io credo molto nella cromoterapia, perciò mi piacerebbe sapere com'è tinteggiata la mia sfera energetica. I colori danno una carica d'ottimismo. Ho un asciugamano giallo per il viso che attiva il sistema nervoso, e uno rosso per il bidet che stimola la circolazione sanguigna. L'acqua, io, non la bevo mica così com'è. La solarizzo dentro boccioni di vetro colorato, la magnetizzo. Io faccio di tutto, così non mi annoio mai. Sono sempre su di giri. Ha presente quelle girelline di plastica appuntate in cima a un bastoncino, che piacciono tanto ai bambini? Ecco, io sono così, mi basta un soffio di vento e faccio subito la ruota. Ortensia, la mia gemella, dice che non mi fermo mai per non guardare il vuoto dentro di me.

Il fatto è che la Zerbinaccia vive internata dentro se stessa, sta sempre lì a scavare, pare una talpa. Pensi che una volta mi ha trascinato in una specie di piscina con la filodiffusione. Dovevamo rilassarci e fare finta di essere nell'utero materno, per trovare un equilibrio tra i nostri emisferi cerebrali più sviluppati, quello più evoluto, di sinistra, il suo, e quello ritardato, di destra, il mio. Tutto sommato non mi dispiaceva tornarmene laggiù nella buzza di mamma, quando ce ne stavamo strette strette, come due pesche sciroppate nello stesso barattolo. Ho provato anche a fare una battuta. «Orty» ho detto, «ormai siamo due pesche sciroccate!» Lei non ha riso.

Sott'acqua teneva gli occhi aperti... una faccia da murena. Ha cominciato a mordermi, a graffiarmi, a tenermi la testa sotto. L'ho mollata e sono uscita. È andata giù a piombo. S'è tuffato un tipo con gli occhiali, lo psicoterapeuta-bagnino: era invelenito. L'ha tirata fuori dal liquido amniotico e l'ha spedita a calci verso le docce. «Ma che sei scema?!» gridava. «Sei scema, brutta ranocchia? Vuoi fare il *rebirthing* acquatico e non sai nuotare?!»

Io, Manola, riesco sempre a pescare il lato buffo delle cose. Ho un grande senso dell'umorismo, credo d'averlo ereditato da mia madre. Quando mamy conobbe papy, lei lavorava in un locale notturno, raccontava barzellette vestita da Minnie con le poppelline di fuori, faceva morire dal ridere. Aveva un avvenire, mia madre, poi s'innamorò di papy. Lui possedeva la risata più superba che lei avesse mai incontrato, e poi era un uomo senza troppe ambizioni terrestri: il classico tipo che s'accontenta di due fette di pane zeppe di senape. Il loro fu un grande amore. Non riuscivano a staccarsi neppure per un minuto. Quando papy andava in bagno, mamy restava fuori dalla porta a piangere. Poi lei rimase molto incinta e si schiantò a letto. Divenne una mongolfiera, e per paura che volasse via, papà dovette ancorarla a terra con dei tiranti. Dopo, poverina, non riuscì più a indossare il suo costume da Minnie: ebbe una terribile depressione post partum. Fu allora che presero in gestione l'albergo.

Nelle grandi occasioni, mamy saltava sul bancone e rispolverava qualcuna delle sue vecchie barzellette. Io le conoscevo tutte a memoria, mi bastava sentire la prima parola per scoppiare a ridere. Una risata al giorno è molto meglio della famosa mela. Vede, Manola? Io ho la faccia tutta in su. Mia sorella, invece, ce l'ha tutta in giù. È affetta da senescenza precoce, ha la capoccella rugosa d'una tartaruga. Lei ride solo ai funerali.

Provi a cercarlo in quella sua palla di cristallo, il nostro albergo. Era come un castello incantato, gente che andava, gente che veniva, un'autentica meraviglia. La porta girevole volteggiava in continuazione, recando con sé fate, cavalieri, principi, streghe, e anche qualche nano. Dormivo ogni notte in una stanza diversa, sceglievo secondo l'umore. La stanza carnacina mi piaceva per il suo piccolo bovindo carico di rose galliche e canine. Nella stanza pistacchio, invece, si camminava su un prato, e la testiera del letto grondava di foglie. La stanza canarino era affacciata sulla torre e sembrava proprio che cantasse. Ma senza dubbio i miei sonni migliori li ho fatti sotto il tromp l'oeil della stanza cilestrina, un cielo sconfinato popolato d'uccellini, che mentre dormivo si staccavano dal soffitto e volavano via. Al mattino affogavo in un mare di bolle di sapone nella grande vasca da bagno con le zampe leonine della suite royale. Durante il giorno non dovevo dar di conto a nessuno. Non ero obbligata a star seduta a tavola per finire tutta la fettina con il purè. Mangiavo in piedi, io. Armida, la cuoca, mi teneva in serbo il bocconcino del prete. E se al tramonto avevo bisogno di coccole, mi buttavo sul primo cliente sgombro che incontravo nella hall.

Dopo, nella vita, mi sono sempre trovata bene. Io m'adatto subito. Ho dormito dappertutto, persino in una grondaia. Ho mangiato zuppe di cavallette, lumache birmane, formicole argentine, e ho sempre fatto la cacca ovunque, nel vasino, nella tana delle talpe, dietro un portone, in nave, senza difficoltà. Ah, sì, io mi libero che è una bellezza!

Ortensia

Manola, per me crescere in un albergo è stata un'autentica disgrazia. È come crescere alla stazione centrale: arrivi e partenze, nient'altro che arrivi e partenze, gente che irrompe nella tua vita, e poi ti pianta in asso. Non fa per me. Non deve credere che io sia un tipo anaffettivo, non si lasci sviare dal mio aspetto striminzito, ho un cuore illimitato.

Io mi affezionavo subito ai clienti. Arrivavano con indosso superbi completi da viaggio, al seguito di quelle loro grandi valigie con le cinghie, e di qualche piccolo quadrupede di razza. Gli uomini fumavano il sigaro, le donne stringevano al petto il portagioielli di vacchetta. Brancolavo verso i nuovi arrivati con le manine tese, porgendo loro in dono piccoli lombrichi appena raccolti. Talora, qualche signora benevola, sentendosi tirare la sottana, allungava un'occhiata in basso e cercava di scacciarmi con un calcio, ma io non me ne andavo. Rotolavo appresso ai suoi passi con il lombrico del benvenuto, fino all'ascensore, implorandola di portarmi con sé, lontano da quell'inferno di porte girevoli, di spifferi che mi incimurrivano il cuore. Ero come quei cani accattoni, che se gli fai una carezza non ce li togli più di torno. Tutti mi schifavano. Certo, ero afflitta da eczemi stagionali – bubboni da fieno, o da fragola, o da castagna – purulente manifestazioni cutanee del mio disagio che non giocavano a mio favore. Nessuno, invece, pareva accorgersi della gemma che ardeva dentro di me, sotto le croste. Così, fin da piccolissima, e pur non arrivando allo specchio, cominciai ad avere ben chiara l'immagine di me stessa, specchiandomi negli occhi dei clienti. Nel fondo di quelle iridi sgomente io vedevo svolazzare un piccolo pipistrello.

La vicinanza della mia gemella non mi ha giovato. Anemone, con i suoi boccoli a cannolo, le unghie laccate, le culotte a sboffo, era una bambina molto accattivante. Non che io ne fossi invidiosa, anzi ero contenta che tutti gli sguardi s'appuntassero sulle pieghe rosa dei suoi grassetti, e che mi lasciassero in pace, una volta per tutte! Io bastavo a me stessa. Avevo solo bisogno di un nido dove rintanarmi per coltivare la mia abbagliante interiorità. Ma non sapevo proprio dove sbattere la testa.

Manola, non ho mai avuto una stanza mia, perché tutte le stanze dovevano essere sempre disponibili per i clienti. Non che i miei genitori fossero avidi, semplicemente erano pieni di debiti. È terribile non poter contare su un luogo privato. Nella mia famiglia tutto era pubblico. Non c'era verso di far due chiacchiere in santa pace, senza trovarsi tra i piedi un cliente in mutande che reclamava qualcosa.

Anche per i miei vecchi, non era facile. Si amavano molto, loro. Spesso li trovavo imbucati nello stanzino delle scope. Mi sbattevano la porta in faccia e riprendevano a palparsi. Non credo che per una bambina depressa sia bello avere dei genitori troppo innamorati... finisci per sentirti esclusa da quell'amore. Papy diceva sempre che un giorno anche noi avremmo avuto una zona privata, come ogni famiglia alberghiera che si rispetti. Però, non credo che gli importasse più di tanto. I miei genitori amavano consumare il loro erotismo tra le scope. Mamy diceva che la clandestinità manteneva intatta quella poderosa passione che divampava tra loro. Era una donna molto evoluta, e non ha mai voluto condividere un letto con il marito. Dormiva dietro il banco della concierge, mamma. Io e mia sorella, quando calava il buio, ci appisolavamo intorno a lei nella hall. Any sul divano, io sul mega zerbino.

Quella precarietà mi gettava nello sconforto. Di giorno m'aggiravo con tutto il mio nécessaire stipato in un vecchio scatolo di cartone, che mi tiravo appresso con una cordicella, come una tartaruga con il suo guscio millenario. Affrontavo a passo lento e strascicato i lunghi corridoi del sottosuolo. Adoravo gli esserini che popolavano quelle zone d'ombra, i ratti, gli scarafaggi, i centogambe, i millepiedi.

Manola, lei non ci crederà, ma io ho posseduto la più portentosa collezione di vermi del pianeta, ingrassata a fogliolone di cavolo cappuccio. Trascorrevo le ore a osservare il moto dei loro molli corpi, subcilindrici. Ma spesso, in quei momenti di beatitudine, all'improvviso, senza capirne la ragione, mi sentivo pervadere da una strana ansia. A quel tempo ero ancora una bambina, ma i bambini, come lei ben sa, hanno conoscenze antiche e ramificate. Io sentivo qualcosa. Solo molti anni dopo, sono risalita alla causa di quella mia ansia verminosa. Quando ho scoperto che nel corpo umano il verme è quella parte mediana di cervelletto che ha una funzione importantissima nel mantenimento dell'equilibrio. La piccola, percettiva Ortensia già sentiva che il verme nella sua testa non stava al posto giusto.

Ma un brutto giorno finì tutto. Trovai accanto a una ciotola di latte un verme maestoso, dal torso lustro e nerboruto. Al colmo della gioia, lo raccolsi con l'aiuto di una pala, per farne il capitano indiscusso della mia collezione. Gli diedi anche un nome, lo chiamai Lungo. Di notte, Lungo si divorò tutto l'esercito dei piccoli subcilindrici. All'alba, rimasi di sale. Non riuscii neppure a piangere. «Perché l'hai fatto, Lungo? Perché? Eri il capitano, loro t'avrebbero seguito fino alla morte...» dissi con un filo di voce. Lungo mi guardò, lisciandosi il ventre pieno, con un'espressione beata, davvero disdicevole, e fece un grande rutto. La natura è maestra, Manola. Sotto la pallida luce di quell'infausto giorno appena iniziato, capii che nella vita c'è sempre un lungo che divora un corto.

Spesso mi rifugiavo nel locale delle caldaie. Sfogliavo l'enciclopedia medica del professor Buggioni, un luminare che dimorò nel nostro albergo per diversi anni, e poi fuggì (calandosi nottetempo dalla gronda) senza pagare il conto, ma lasciandoci come obolo la sua fantastica opera illustrata. Io ero molto interessata al capitolo sulle dermatiti anali, m'incantavo davanti alle creste di gallo. Nel calduccio, chiudevo gli occhi e davo sfogo alla mia portentosa produzione onirica. Davanti a me vedevo un tapis roulant con sopra tanti sederi scorrevoli. E io splendida, altera, vestita da infermiera che: zac!, zac!, affondavo siringoni in quella sfilza di natiche in movimento.

Manola, l'universo posteriore m'ha sempre affascinato. Ero convinta che tutti i deretani del mondo fossero diversi l'uno dall'altro. Il mio con quel taglio scuro mi pareva il più abominevole. Devo confessarglielo, io ho un terribile problema legato alla fase anale. Non sono mai riuscita a dire cu...

Anemone

Il mio problema è Ortensia, Manola, è per quella Chiorbona che sono qui. Se lo sapesse non me lo perdonerebbe mai. Lei non conosce mia sorella, Manola, è così ossuta, medianica, ha certi occhi sparvieri. Sa farti la Tac con lo sguardo. La gente non ama essere guardata in maniera così insistente, ognuno di noi ha qualcosina da nascondere, e sentirsi quegli occhi addosso non è una carezza.

I clienti la detestavano. Il nostro albergo era zeppo di coppie clandestine, coppie a minutaggio. Quando arrivavano, mamy gli consegnava la chiave della stanza, poi rovesciava una clessidra e s'appisolava. Non appena la sabbia era passata dall'altra parte, andava di sopra e sbatteva fuori gli inquilini. Molti rotolavano giù dalle scale con i culi ancora nudi. A nessuno piaceva trovarsi fra le gambe il muso indagatore di mia sorella, con il siringone sempre armato, pronta a bucare qualche chiappa al volo. S'occupava lei del servizio in camera. Guarniva le stanze con corbeille di insetti freschi di stagione, mantidi, cervi volanti, scorpioni. Infilava istrici nei letti, roditori nei water, tarantole nei preservativi.

Mamma, poverina, non ce la faceva più a star dietro

alle lamentele dei clienti. Lei possedeva un aliante, e nei momenti più complicati si faceva un giretto. Il lungo foulard di seta, stretto intorno al collo pieno di efelidi, svolazzava a pochi millimetri dalle eliche, mentre lei, sul devastante rombo del vento, gridava: «Non mi meritate. Roger. Non atterrerò mai più dalle vostre parti. Roger...». Mio padre la lasciava fare. Lui amava il mare e in certe occasioni dimostrava un suo buon senso. «Purtroppo, navighiamo tutti a vista» diceva.

Papy, spesso, era piuttosto su di giri alcolici. Aveva un debole per Ortensia, e la guardava con certi occhi da cane melanconico. Gliele ha sempre date tutte vinte, alla Zerbinaccia. È stato lui a regalarle la gabbia per i vermi con il riscaldamento a orologeria e la mangiatoia accessoriata.

Orty usava gli animali per tormentare gli umani. Raccattava uccellacci spiumati, agonizzanti, dimenticati dalle madri, e se ne andava in giro a sbattere quei lunghi colli paonazzi nei bicchieri di cedrata delle signore che giocavano a canasta. Aveva un suo osservatorio per il pronto intervento medico nella valle. Appena una bestia finiva spappolata sulla statale, lei si vestiva da infermiera e partiva con la carriola.

Una volta, durante un pranzo di matrimonio, attraversò il salone dei banchetti trascinandosi appresso un cane infestato di mosche cavalline, con tutte le interiora penzoloni, lo ingozzò di confetti, poi catturò dalle mani della sposa il bouquet, gridando: «Mi serve per la tomba». La sposa ebbe una crisi isterica, cominciò a maledire il novello sposo. Gli rovesciò una caraffa di vino rosso in testa, poi si strappò il vestito a morsi e tornò a casa dai genitori, nuda, avvolta in una delle nostre tovaglie da cerimonia.

Il giardino era disseminato di lapidi di polistirolo. I clienti che stavano lì a far la prima colazione sotto il gazebo s'imbestialivano a vedere quella becchina pustolosa in giro, con la vanga sulla groppa. Ma il vero sollucchero di Orty era il suo allevamento di vermi. Ogni tanto, li portava allo scoperto per una passeggiata, lei avanti e tutti i vermi dietro, in fila indiana. Erano allenatissimi: attraversavano il campo da golf, lambivano le gambe lesse sotto il plaid del colonnello imperatore Rolanduccio Imparato – ormai morituro – circumnavigavano la fetta d'arancia infilzata sul bicchiere dell'aperitivo di sua moglie, la ottuagenaria baronessina Vilde Ostregoni in Imparato, nota spiritista, scendevano ordinatamente sulle pagine del rotocalco della fida governante Tituccia, in tempi meno tristi appassionata amante di Rolanduccio, per dirigersi puntualmente in camera mia. Non ne potevo più di tutta quella bava che lasciavano addosso ai miei vestiti.

Un bel giorno scovai, accanto al pozzo, una biscia magnum. La attirai con una ciotola di latte verso gli anfratti di Orty. Lei naturalmente fu entusiasta di quel gigantesco viandante strisciante e lo introdusse in gabbia con gli altri. Voleva inviare immediatamente un telegramma a un tizio in Cina con il quale era in competizione per il Guinness. Un rigurgito di coscienza mi fece dire: «Guarda che non è un verme, è un serpente». Ma quella Zuccona di fosso non dà retta a nessuno, spense la luce della gabbia e se ne andò a dormire tutta gongolante. Al buio, la biscia magnum si sgargarozzò tutto il verminaio e, con grande giubilo dei clienti, ce ne liberammo una volta per tutte. Sono trascorsi ventun anni dall'olocausto verminoso, e Ortensia si veste ancora di nero.

Prese l'abitudine di scomparire per lunghi periodi. Dopo il terzo giorno di assenza dalla routine alberghiera, i miei genitori mi spedivano a stanarla. Mi creda, Manola, ho passato l'infanzia a cercare mia sorella. Sapevo dove trovarla. Se ne stava acquattata sul bruciatore, a guardare i culi infestati da ciccioli sanguinolenti, che affollavano le pagine della turpe enciclopedia Buggioni.

Manola, io non sono mai riuscita a vedere il posteriore di mia sorella, ma per convincerla a tornare allo scoperto dovevo offrirle le mie natiche per una delle sue punture micidiali. Non potevo tirarmi indietro. Se Ortensia s'arrabbiava, cominciava a vibrare tutta e mandava in black-out l'albergo, incautamente sprovvisto di gruppo elettrogeno.

Ortensia

Io vivo perseguitata dal buio. Temo di produrre fenomeni che interagiscono con la corrente elettrica. Può accadere che al mio passaggio si spengano i lampioni, a causa del campo elettromagnetico che circonda il mio corpo. Manola, non voglio indagare su questo fronte: se gli scienziati s'accorgessero di me sarebbe la fine. Io da sola basterei a illuminare il mondo intero. Non voglio finire crocefissa sulle Alpi Transilvaniche, cosparsa di elettrodi e di spinotti, con un cavo dell'alta tensione in bocca· ho una dentatura fragile.

Nel campo elettrico che circonda ognuno di noi, Manola, c'è un equilibrio costante tra particelle positive e negative. Quando questo equilibrio si altera cominciano i guai. Ora io le chiedo: lei vede sbilanciato il mio flusso di energie? Avverte una stagnazione? Un incupimento dei colori? Avrà notato senz'altro l'alone rosso della collera. La collera è vitale, ma quando dal mio campo magnetico passa al corpo, si tramuta repentinamente in ansia, e l'ansia è mortifera. Sì, purtroppo, sono una collerica implosiva. Dica la verità, vede solo un denso alone, grigio come smog, intorno a me? Ebbene, i pensieri influiscono sul campo energetico, e i miei pensieri sono listati a lutto.

Manola, io soffoco per la mia stessa intensità. Mi indichi il sentiero per entrare in contatto con il mio io superiore, con la scintilla divina che è in me, ho bisogno di scambiare quattro chiacchiere con qualcuno che mi vuole bene e mi capisce. Mi basterebbe un piccolo squarcio di luce, poi ce la farei da sola. Sono così tenace, così rigorosa interiormente. Io sono un gigante, Manola. Sì, in questo mondo dove la gente ha dentro di sé solo il perimetro d'un fazzolettuccio di batista, io sono un Polifemo. Ho sulla fronte il terzo occhio spalancato, il canale aperto. Ricevo informazioni da un'intelligenza superiore. È con grande umiltà che glielo dico: sono un'eletta. Ma se lei non mi aiuta, tra breve di me non resterà altro che un mucchietto di cenere. Tra spirito e carne c'è un vuoto troppo grande. Io vivo sull'orlo del baratro perché percepisco l'immenso, ma sono piena di sfoghi eczematosi.

A scuola dalle suore c'era un meraviglioso odore di lisoformio, misto agli sboffi d'incenso che arrivavano dalla cappella. Mi sentivo a mio agio, nell'ordine stabilito da quelle mani nivee, illibate. Lo schieramento dei piccoli banchi di formica, i fiori di plastica nei vasi di peltro, i messali. La mia ansia di espiazione, tra quelle mura benedette, trovava conforto. Tutto era bianco: vedevo Belzebù ovunque. Pensare che tra me e l'infinito c'era Dio, mi tranquillizzava. Gli raccontavo tutte le mie disgrazie, e siccome sapevo che lui rende forti attraverso le sofferenze coloro che più ama, ero certa che fosse pazzo di me. Trascorrevo lunghe interminabili ore nella cappella gelida a pregare con le puntine da disegno sotto le ginocchia. Volevo avere le visioni, come Santa Caterina. Speravo proprio d'incontrarlo, colui che ci aveva fatti a sua immagine e somiglianza... me lo raffiguravo scheletrico e peloso come me.

La confessione mi suscitava uno sconvolgimento totale. Un orgasmo di gioia e dolore che non ho mai più provato, nemmeno durante le mie più intense sedute freudiane. Bisognava dire tutto. Tutto. Un artiglio usciva fuori dalla grata del confessionale per catturare i miei pensieri più reconditi, e mi perseguitava anche di notte nei sonni: «Hai commesso atti impuri?».

«No, non credo. Ho raccolto l'uccellino caduto dal nido, l'ho nutrito con il raviolone di zucca, ma è morto, s'è strozzato. È colpa mia? Ti prego, dimmi che è colpa mia...»

«Ortensia, non fare orecchie da mercante, sto parlando di quella fessurina che hai tra le gambe dove alita il demonio: l'hai mai sfiorata?»

«Sì, ma con l'ortica.»

Poi la comunione. M'incamminavo tremebonda, con le mani giunte, verso l'ostensorio. Ricevuto il religioso pasto, mi immobilizzavo, mentre la bocca si gonfiava di saliva. Mi ripetevo: "Ortensia, stai attenta, non mordere il corpo di Cristo! Non farlo sanguinare!". Accoglievo disperata quel corpo oltraggiato, senza riuscire a capire perché gli uomini avessero compiuto un crimine tanto grande. Volevo espiare. Volevo strapparmi i denti dagli alveoli, per non correre più il rischio di ferire il Signore.

In classe, dal mio bancuccio di spine, guardavo suor Pasqualina con gli occhi abbacinati; lei spiegava le tabelline ma io pensavo alla via crucis. Amavo le suore, avrei portato l'acqua santa con le orecchie, io, alle suore. Ma quando papà veniva per il colloquio di fine anno, le sorelle maestre gli facevano un reso-conto orroroso del mio andamento scolastico. Schiu devano con parsimonia quelle loro bocche di livida cera e raccontavano a papy che ero una sorta di ri-tardata, che me ne stavo abbozzolata nel banco co-me una larva, a guardare in aria le mosche che non c'erano. Dicevano che, finite le elementari, era pre feribile ritirarmi da scuola perché tanto non sarei an-data avanti negli studi, e che loro mi tenevano solo perché erano religiose e quindi clementi. Io le guar-davo estasiata, senza capire. Papà mi faceva l'oc-chietto. Lui non s'è mai curato del giudizio degli al-tri; io ero sua figlia, il suo piccolo pipistrello. Era convinto che la scuola servisse a poco. «Tu, figlia mia, sei un'alivola, voli con ali tue. Non hai bisogno di nessuno, farai grandi cose!» diceva.

Anemone invece è sempre stata miscredente, ep pure le suore l'adoravano, la facevano sedere accan-to alla cattedra, se la litigavano addirittura. Lei è sempre stata scaltra, sapeva esattamente cosa gli altri s'aspettavano da lei. Al mattino passava ore davanti allo specchio a guarnire i suoi boccoli con fiocchi e piccole aiuole di fiori, a piazzare sul grembiule ampi colletti candidi e smerlettati. Aveva una tenuta diver-sa per ogni suora. Nel banco guardava la suora di turno strizzando gli occhi tra i ciglioni vellutati come a dirle: "Madre è contenta? È per lei che mi sono or-nata così, per deliziare il suo sguardo". Io non pote-vo credere che in un ambito così spirituale si desse tanta importanza all'aspetto esteriore. Avevo i calamari neri sotto gli occhi perché passavo le nottate sui testi sacri, ed entravo in classe febbricitante, con il colletto storto sul grembiule, un calzettone grigio cormorano e l'altro verde sottobosco.

La domenica, quando arrivava il prete per la santa messa, le suore correvano su e giù nella sacrestia tutte contente e gli offrivano svariati calici di sangue di Cristo fuori orario. Durante la funzione, chiamavano sempre Anemone al leggìo per declamare la voce del Signore, tanto il suo aspetto era angelico – grazie alla stucchevole cascata di cannoli biondi che le grondava sulle spalle – e la sua voce incredibilmente celestiale. La mia, invece, era quella incerta di una bambola parlante con le batterie scariche.

Cercavo di trattenere Anemone, le facevo lo sgambetto per il suo bene. «Non ti sei nemmeno confessata...» le sussurravo. Non potevo capire come non avesse paura della coscienza, eppure l'aveva sentita anche lei la storia dell'occhio rosso del Signore che dal cielo spiava tutti, in ogni momento del giorno e della notte. «Ricorda l'Antico Testamento...» insistevo, «il timor di Dio è il principio della sapienza!» Ma quella cretina non mi prestava ascolto. S'avviava gongolante verso il leggìo, impettita e col nasetto all'insù. Volevo gridare a tutti il sacrilegio che si stava compiendo tra quelle volte sacre: "Mia sorella è una peccatrice. Non lasciate che sia lei a portarci il Verbo. Il Cristo s'infuentirà. Avete forse dimenticato la sua ira nel tempio contro i mercanti?! La terra s'aprirà sotto i vostri piedi! Le volte sacre precipiteranno sui vostri capi!".

Il giorno della prima comunione mi parve che finalmente il Signore avesse udito le mie invocazioni.

Attendevo palpitante il momento delle sacre letture. Anemone aveva la laringite. Ed ecco la suora zoppa fare un gesto con la mano nella mia direzione. Come in trance, mi alzai e mossi qualche passo sull'impiantito lustro della chiesa. Arrivai al leggìo, spalancai il sacro tomo, dove c'era il segnalibro di marocchino rosso, e mi trovai davanti agli occhi le splendide lettere d'oro, tutte ghirigorate. Feci un grande sospiro, poi allungai lo sguardo sulla platea dei fedeli.

Mamy si stava asciugando una lacrima sotto la veletta, papy aveva alzato due dita in segno di vittoria. Inghiottii un'altra sorsata d'aria, per averne una bella scorta nei polmoni. Volevo leggere tutta la storia di Lazzaro: «Alzati e cammina!», e passare subito dopo a quella dei pani e dei pesci. Infine desideravo proporre qualche cosina su Ezechiele. Non erano certo previste quelle letture, davanti a me c'era un salmo di poca importanza. Il prete alcolista confidava in una messa breve. Ma quello era il mio momento. Ero al colmo della gioia, le pagine scorrevano sotto le mie mani come ali festanti di angeli, avevo perso il segno, ma poco importava. Il Signore era lì, appollaiato sul mio capo, lui non aveva fretta. La suora zoppa sì. Camminava verso di me, trascinandosi appresso la sua gruccia di castagno, e smoccolando a mezza bocca. Mentre s'avvicinava, mi parve di veder spuntare dalla sua calotta nera due corni demoniaci. Con un colpo secco, mi scaraventò giù dal leggìo. Anche il Signore ruzzolò con me. «Scansati, stronza!» disse la suora zoppa, imbracciò la chitarra e attaccò l'Ave Maria country.

Manola, se esiste un Dio lassù nel cielo, è un Dio furibondo. I suoi ambasciatori terrestri sono una banda di venduti al nemico. Perché io ho sempre saputo che se il Signore dall'alto avesse potuto scegliere una bambina per declamare il Verbo, lui avrebbe scelto me. Ne ero convinta allora e ne sono convinta a tutt'oggi, anche se non sono più credente. O meglio, sono credente, ma non in senso ortodosso. Cioè sono una libera credente. Ho una religiosità molto più diffusa.

Mia sorella comunque mi è stata utile anche in campo teologico, perché attraverso di lei sono riuscita a spiegarmi il peccato originale. Non potevo credere che esistesse una donna capace di cedere alle lusinghe d'un serpente e mangiare proprio il frutto proibito, nonostante avesse intorno a sé un giardino di delizie. Ma Anemone è esattamente così, una sorta di Eva farloccona, capace di inguaiare l'intera umanità per togliersi un capriccio. È grazie a quelle come lei che io, povera Ortensia, continuo a espiare giornalmente la colpona primigenia che gronda sul mio capo. Ho una lacrima nell'occhio, devo andare ad allenarmi.

Anemone

Corre, Manola, mia sorella corre anche di notte, corre anche sul ghiaccio. Con in testa il suo casco di perspex imbottito di vetroresina. Deve espellere l'acqua dal cervello, perché s'è convinta di essere idrocefala. Ho letto che l'organismo, dopo aver bruciato i grassi, comincia a consumare i muscoli. Manola, le chiedo: è possibile che mia sorella rimanga senza muscoli?

Fin da piccolissima, ha rivelato questa vocazione ostentata al martirio. Voleva farsi suora, ma non una qualunque. Naturalmente mirava a diventare la seconda papessa della storia. Non ha mai avuto il senso delle proporzioni. È brutto, Manola, non riuscire a guardarsi nella giusta dimensione. È una vera e propria malattia, la malattia dello sconfinamento. Se c'è una cosa che bisogna avere bene in testa nella vita sono i confini, poi, per il resto, fai come ti pare. Io sono per la libertà vigilata. Ma mia sorella è una tale zuccona di fosso. Io vorrei aprirgliela, la zucca, dico, per vedere cosa c'è dentro. Le giuro, Manola, che se Orty schiatta anche solo qualche ora prima di me, io vado nel capanno degli attrezzi, prendo l'accetta e le spacco la testa in due, poi mi metto gli occhiali e guardo. Ci sarà pure qualcosa di strano, lì dentro, che l'anatomia non contempla. Un verme, per esempio. Voglio prenderlo, quel verme, acciaccarlo e dirgli: "Sei tu che m'hai rovinato la vita!".

Li conosce, lei, i fioretti? Io sì. Ortensia era specializzata in fioretti. S'era costruita persino un cilicio di puntine da disegno e ortica, adattabile a ogni zona del corpo. Per farla contenta lo presi anch'io, questo stramaledetto tabellone dei fioretti. Aprii tutte le caselle in un colpo solo, senza fare nemmeno un fioretto. Uscirono gli angioletti, le campane, i ramoscelli d'ulivo. «Lo vedi?» dissi. «Non sono saltate fuori le fiamme dell'inferno e i diavolacci. Sono ancora qui tutta intera, il Signore non mi ha incenerita. Le suore sono delle gran furbe. È come la storia delle carrube. A noi per premio ci danno da rosicchiare le carrube come ai cavalli, mentre loro si rimpinzano di squisitezze, hai visto come sono grasse e burrose? Sei un cavallo, tu?! No. E allora mandale a quel paese!»

Non l'avessi mai fatto! S'è messa a gridare: «Questo è peccato mortale! Tombola! Tombola!». S'è buttata nella lavatrice e pretendeva che io accendessi la centrifuga. Mi sono categoricamente rifiutata, allora lei è corsa ad accaparrarsi tutti i phon dell'albergo, li ha messi in funzione, e s'è tuffata nella vasca da bagno della suite royale. Un'esplosione formidabile, Manola. Ho visto mia sorella partire a missile. La vasca s'è disintegrata sul nespolo, lei, invece, è atterrata tra i cardi, intatta. Leggermente affumicata, ma assolutamente intatta. Se i gatti hanno sette vite, Manola, mia sorella ne ha almeno nove come le cornacchie. Sotto un certo profilo, è veramente grandiosa.

Tornava venti, trenta volte a comunicarsi, poi le veniva l'indigestione da ostia e vomitava nel confessionale. In chiesa voleva sempre leggere lei, ma tartagliava. Sì, mia sorella ha sofferto di balbuzie da cattolicesimo. S'impuntava su una parola, sempre la stessa: Lazzaro. Le piaceva la storia di quel tipo bendato e puzzolente che risorge. Orty è molto sentimentale. Io ho cercato di insegnarle un po' di buon senso, di lieto fine, ma non c'è stato niente da fare. Cerco d'infischiarmene, anche se non è facile, Manola. Ortensia è la mia gemella, e lei sa che tra gemelle c'è un attaccamento un po' speciale. A volte ho paura d'un contagio. Non è piacevole averla intorno, quella Chiorbona giudicante. Quando mi vesto per uscire mi guarda in un modo... Pure i peli della passera mi conta.

Certo, sta male, ma i malandati sono degli egoistoni, non vedono al di là del proprio becco. Ortensia ti fa sentire in colpa perché lei è brutta e sfortunata, ce l'ha con tutto il mondo. Manola, le chiedo, dovrei sentirmi in colpa perché sono una bella figliola fortunata? Guardi che io ho sempre dovuto sbrigarmela da sola. Certo, so come muovermi, non come lei che aspetta la manna dal cielo. Orty, su questa terra, non sa fare niente. Non sa nemmeno vivere.

Anche papy come senso pratico era un disastro, ma almeno lui era sempre allegro. Per il resto, stava a ricasco di mamma, e non c'è da stupirsi se quando lei ha preso il volo appresso alle melanzane, è andato tutto a scatafascio.

Papà era un uomo straordinario, solo che aveva in testa troppe pensate strambe. Avrebbe voluto fare il domatore di squali o qualcosa di simile, ma non sapeva tenere a bada nemmeno un pesciolino rosso. Aveva uno sconfinato rispetto della vita, ed era molto benvoluto. Si portava appresso un mucchio d'insetti, che gli ruminavano tra i peli: api, cimici, pulci, cocciniglie, zecche, donzelle, tignole, grilli, lucciole, scarafaggi, calandre, punteruoli, rosalie, tafani, e molti altri. Non riusciva proprio a disfarsene. Ogni tanto faceva la finta, si sgrullava forsennatamente, poi correva sotto il roggione dell'acqua piovana. «Via bestiacce! Via... Sciò... Sciò...» gridava. Gli insetti con le ali volavano via, quelli senza rotolavano nei suoi stivali da buttero, quelli muniti di succiatoio restavano ad abbeverarsi in situazioni di estremo pericolo. Ma passata la buriana tornavano tutti, e mio padre era felice di accoglierli.

Era talmente affezionato a quei parassiti, che nei periodi riproduttivi passava il tempo nel caldo umido della serra per difendere le ovature tra i suoi peli. E a ogni nascita piangeva come un vitello. Per la verità, anche i suoi insetti gli volevano bene. Mi ricordo come fosse ora quella notte in cui papy, frollo dal bere, uscì in giardino per chiudere i portelloni esterni delle finestre, e la torcia gli cadde di mano fracassandosi; allora le sue lucciole si misero al lavoro per illuminargli il cammino. Così, nel buio, papy si trasformò in un albero di Natale deambulante. A parte l'aspetto massiccio e la voce da orco, era un uomo completamente sprovvisto di autorità. Si vedeva lontano un miglio che era un fanfarone. Era il cacatoio di tutti gli insetti della valle, mio padre. Eppure, si sentiva un condottiero.

Progettava il giro del mondo su una canoa fatta con le lische avanzate dalle trote alla mugnaia che i clienti divoravano in quantità industriale. Lavorava di notte alla canoa. Orty gli passava gli attrezzi, la colla. Qualche volta li ho spiati. Non si scambiavano nemmeno una parola, stavano in silenzio, raccolti nel rumore delle loro teste, come fanno i matti. Anche in certe manie di grandezza sono sempre stati simili. Papà non aveva mezze misure: per lui il mondo era diviso tra geni e stronzi. Noi eravamo tutti geni. Credo che sia stato papy a istillare in Orty quel sentimento di distacco verso il mondo degli uomini. In questo senso è stato davvero superficiale. Una persona come mia sorella non la si doveva assecondare, andava inchiavardata alla terra. Invece erano sempre lì, nel seminterrato, a sognare insieme il grande viaggio per mare. Papà a prua col cappello da capitano, Orty a poppa col berretto da mozzo. Accendevano un ventilatore e navigavano nel vento.

Ortensia

Lei, Manola, non ha idea di cosa significhi per me correre, fendere il maestrale come un ghepardo, perdere il senso del tempo e dello spazio, balzo dopo balzo. Correndo puoi svoltare tra i cespugli in un sentiero laterale e scomparire. Io mi sto allenando, Manola, perché un giorno comincerò a correre, e non mi fermerò più, morirò in volata. Da ragazzina volevo vincere le olimpiadi, e la volta dopo accendere il fiaccolone. Grazie al mio torace carenato da martin pescatore, sono equipaggiata d'una iperbolica capacità respiratoria. Ma in prima media mi esonerarono dall'ora di educazione fisica. Inciampavo sempre e mi fratturavo. Il mio Io superiore sapeva che c'era davanti a me un destino da corridora; ma il mio io inferiore temeva di non farcela e mi induceva all'inciampo.

Quanti progetti un bambino ha su se stesso! Mi domando perché gli adulti non facciano uno sforzo, e non provino a mettersi carponi. Il mondo visto da sottinsù è colossale, mostruoso. Un indice puntato dall'alto ha la stessa onda d'urto d'una trivella, sulla tremula interiorità d'un bambino. I grandi sono degli ottusi larvoni, gonfi di cose inutili. Sono dei bari. Sì, hanno alterato le parole. Il dolore durante l'infan-

44

zia si chiama capriccio: «Stai facendo i capricci?», «No, montagna di inutile carne, sto crepando! Sto crepando senza che tu te ne accorga!». Forse un giorno i bambini del mondo per protesta si prenderanno per mano e si butteranno nel baratro tutti insieme, nessun acchiappatore potrà salvarli.

Sapesse quante volte, Manola, mi sono apparecchiata un bel suicidio, laggiù, nei locali delle caldaie. Chiudevo gli occhi e provavo a immaginare il volto dei miei genitori, quando m'avrebbero trovata impiccata alle tubature bollenti. L'unico pensiero che mi tratteneva dal mettere in atto il mio grandioso progetto era che da morta non avrei potuto godermi la loro disperazione. E, poi, mi pareva che fosse troppo comodo, per la mia famiglia, liberarsi di me in un colpo solo. Non se lo meritavano, questo regalo.

Volevo uccidermi la notte di Natale. Manola, io detesto il Natale. Quando s'avvicina il Natale mi viene un magone terribile. Bisogna essere tutti belli, tutti affettuosi, tutti felici!

«Sei felice, cara?»

«Non esattamente, sono disperata.»

Papà ha già bevuto il giusto, sotto la barba d'ovatta il viso è infuocato come il cappello da babbone che ha in testa.

«Mettetevi il vestito buono, bambine! Finalmente si mangia tutti insieme come una vera famiglia! Oggi i clienti andranno a copulare da un'altra parte. Siamo chiusi. Che meraviglia, è Natale!»

La tovaglia rossa, i tovaglioli rossi, la candela rossa, la pigna grande! Ecco mamma che batte le mani, è Natale, ha gli orecchini sui lobi, mamma. «Tutti a tavola! Tutti a tavola!»

Arriva il tacchino sul piatto da portata, con i piedini di carta d'argento e il soffione dal deretano.

«Che meraviglia: il tacchinone!»

«Facciamo tutti la foto con il tacchinone! Coscia, petto, o bocconcino del prete? Pronti, ai posti di combattimento: via!»

Papà si tuffa sulla capoccella.

«Scatta, scatta, Any, che ho la cresta tra i denti!»

Oddio... è lui. L'hanno ammazzato. Hanno ammazzato Grogo, il mio Grogo. Io gli davo da mangiare il granturco bocca a bocca, io ci parlavo, con Grogo, lui mi capiva. Il tacchino più sensibile che abbia mai solcato questa terra! Lei, Manola, sa cosa vuol dire un amico di piume al tramonto. Per me il gloglottare di Grogo era l'unica voce amica nel mondo. Se ne stava in disparte sul tetto del pollaio, anche la notte non si ritirava mai. Rimaneva racchiocciolato sulle tegole con il bargiglio tremulo nel vento e il becco levato verso la luna. Si sentiva un inadatto tra quegli stupidi pennuti da cortile alberghiero, chi meglio di me poteva capirlo. M'arrampicavo fin lassù, lasciavo scivolare sul suo corpaccio uno scialle, e lo abbracciavo forte. «Grogo, Groguccio mio, non preoccuparti, un giorno voleremo via insieme!» E quell'assassina di mia madre ha avuto il coraggio di servirmelo per pranzo a Natale...

«Siete una famiglia di mostri! Finirò anch'io così, ripiena, inzeppata di castagne, con l'orifizio anale cucito?!»

«Ma dai, è Natale! Lo mangerai, un pezzettino di ciccia buona a Natale, o anche oggi hai intenzione di andare in bagno a ficcarti due dita in gola?! Anche oggi hai intenzione di dare questo dolore ai tuoi genitori che lavorano come schiavi tutto l'anno per lasciare qualcosa a te e a tua sorella, loro che hanno fatto la guerra, e si son fatti da soli?! Dai, moccolona, è Natale!»

Tutti giù a ridere, a fracassare i bicchieri nei brindisi.

«E di che si parla? Di che si parla?»

Di ricordi, naturalmente, di aneddotica familiare, sennò che Natale sarebbe...

E tutti lì a rovistare, eccitati, con gli occhi rossi dal bere nella cesta dei pannucci sporchi, dei ricordini sopiti, quelli che latitano, ma che con un altro buon bicchiere di moscato saltano fuori e graffiano. Hai voglia se lo graffiano, il mio povero cuore!

«Di' un po', Zerbinaccia, ti ricordi quando ti depilasti con la falciatrice?»

«Chiorbona, ti ricordi quando alla recita di fine anno tua sorella fece la bella e tu invece la bestia?»

E giù a sganasciarsi, a darsi di gomito.

«Sì, certo, io non dimentico niente!»

Manola, io vado tutti i santi giorni da Lucianella, la mia analista, grazie a questi orrorosi ricordini. Io non ho voglia di rivangare anche a Natale. Lucianella mi sta aiutando; se prima mi sembrava di avercelo, qualche ricordo decente, adesso sono più tranquilla: non ne ho neppure uno.

Eccoci arrivati al momento dei regali. Si spengono le luci, s'apre la porta del salottino buono. L'albero è lì in fondo, tra le fronde vibrano le lucette intermittenti, e in cima troneggia la stella cometa di nonna Refola. Dove sei, nonna Refola? Dove sei? Non sarà più Natale, senza di te!

«Datevi la manina, bambine...».

Mi aggrappo ad Anemone, cammino accanto a lei come verso il patibolo. Tra un attimo i miei sogni, le mie minuscole aspettative d'una intera annata, si schianteranno. Fermiamola così la scena, Manola, intatta: l'albero luminoso, le campanule di cioccolata, le piccole sfere di vetro soffiato, e sul muschio, come i doni dei re magi... i regali. Nella vita i regali non bisognerebbe scartarli mai!

«Cosa stai a fare lì impalata? Dai, scarta! Scarta!»

Scarto con le mani tremebonde, molli di sudore.

«Ringrazia, ingrata! Ringrazia! Lo sai che non è Babbo Natale a portare i regali, sono i tuoi poveri genitori, che fanno a botte nei negozi per comprare quello che volete! Ringrazia!»

Ringrazio, Manola, ringrazio. E già vedo il ringhio acquattato sotto il sorriso di mamy e papy. Non mi lasciano neppure il tempo di scartare.

«Non sei contenta? Incontentabile Chiorbona! Siamo alle solite, non sei contenta!»

Manola, non mi hanno mai fatto un regalo giusto, veramente pensato per me. Ma che ci vuole? Io saprei fare un regalo di Natale anche a una zanzara, saprei penetrare la sua umile psiche filiforme e indovinare il giocattolo che più le aggrada. Allora perché nessuno fa mai uno sforzo nella mia direzione? Io desidero, furiosamente, un completo da infermiera, di quelli che si trovano sui banchi delle fiere di paese, lire duemila e cinque. Niente di più. Io non so andare sui pattini a rotelle, io non ho equilibrio e voi lo sapete benissimo. Allora perché mi fate questo? Perché?

Tutti mi guardano, e so bene cosa aspettano.

«Stai per piangere, Zuccona di fosso? Hai già quelle lacrimacce appostate dietro gli occhi?!»

Manola, se non m'avessero guardato in quel modo forse sarei riuscita a trattenermi. Ma quella folla d'occhi truci non mi dà scampo. Allora piango. Finalmente piango, e puntuale m'arriva il ceffone.

«Così piangi di santa ragione! Tuo padre da piccolo aveva solo un treno senza occhi e tua madre solo una bambola senza rotaie, tu invece sei nata nell'era della grascia, vergognati! Pensa ai bambini poveri che non hanno niente...»

Oddio, i bambini poveri! Quelli neri con la pancia gonfia di terra e gli occhi appiccicati dalla cacca delle mosche? Che schifo che faccio. Che schifo tutto questo spreco. Sono una turpe bambina occidentale. Picchiatemi, è giusto. Me lo merito per i disperati che la notte di Natale attraverso vetrate di gelo guardano con occhi famelici il caldo dei ristoranti, per la piccola fiammiferaia con i pieduzzi scalzi nella neve, per l'olocausto dei vermi, per il sacrificio di Grogo, per tutti questi peli che ho in faccia... È Natale! Che tragedia, è Natale!

Anemone

È bello avere una gemella con la quale puoi dividere il banco di scuola, il letto, i compleanni. Manola, sa che una volta abbiamo fatto il compleanno con il morto? Ortensia non s'è proprio presentata, era andata ad ammazzarsi. Si imbrodolava tutta di pomodoro, poi pigliava un coltello di quelli da carnevale a trabocchetto e se lo schiantava nel petto, oppure s'imbracava col busto di nonna Refola e faceva l'impiccata. Naturalmente si vedeva lontano un miglio che era una farsa, però dovevamo soccorrerla lo stesso. Passavamo per la cucina, ci strofinavamo la cipolla sugli occhi e via di corsa dalla moribonda, nel locale delle caldaie.

Era stato quel pazzo del professor Buggioni a consigliare a mamy e papy la terapia dei creduloni. A me non andava proprio di farla, questa recita, ma loro mi costringevano a calci. E via, tutti intorno al cadavere, come tanti coglioni: «Oddio, povera Ortensiuccia, è morta! Come faremo senza di lei, senza il suo odorino? Era così buona. È tutta colpa nostra...». Lei intanto ci sbirciava con la coda dell'occhio, e se sbagliavamo a dire qualcosina, se non ci mostravamo abbastanza disperati, diventava una belva, ci saltava al collo.

Non vedevo l'ora di crescere. Manola, i bambini sono una banda di pazzi. Se lei adesso si mettesse a volare davanti a un bambino, quello non ci troverebbe niente di strano. Per loro è tutto normale. Ma non va mica bene. Vanno tenuti a guinzaglio, i marmocchi, perché se gli dai troppa corda sono capaci di mandarti dritto al creatore. Sapesse quante volte ci ha provato, Ortensia, a farci secchi tutti! Ci voleva stroncare a Natale. Ci metteva la cacca dei topi nel moscato. Certi Natalucci di merda abbiamo passato noi altri! Adesso io parto. Sì, il Natale vado a farlo in Burundi. Vado a raccogliere il sorgo, vado a lavorare nelle miniere di columbite-tantalite, pur di non rimanere in albergo con la Pustola di fiele.

Quando arrivava Natale, Ortensia tirava fuori un musaccio brutto che mandava la festa di traverso a tutti. Era il solo giorno disoccupato che avevamo in un anno intero, e lei ci si metteva di buzzo buono per rovinarcelo. L'antipasto no, perché ci sono i crostini con il foie gras, e lei non lo mangia, il fegato obeso di quelle povere oche. Non lo mangi, ma almeno stai zitta. E invece ci raccontava per filo e per segno come quegli aguzzini degli allevatori ingozzassero le oche, fino a farglielo scoppiare, il fegatuccio. Era documentatissima, esibiva anche del materiale fotografico sull'esplosione delle cisti epatiche. I cappelletti neanche li guardava, perché dentro c'è il suino, e lei lo conosce l'urlo lancinante del porco sgozzato. Munita d'un supporto audio, ce lo fa sentire anche a noi. Il tacchino? E che siamo matti?! Hai voglia a dirle che non era Grogo, il suo tacchinaccio. Nessuno di noi si sarebbe azzardato a torcergli una sola piuma, a Grogo. Manola: il tacchino più fetente che abbia mai razzolato su questa terra. Gliene hanno dati pochi di punti in testa a Orty, grazie alle rampate di quello psicopatico! È convinto d'essere un falco, ma ha le ali rotte, non riesce neppure a scendere dal tetto del pollaio. Quello è ancora vivo, sa? Grogo ci sotterra tutti! E per di più, scrive. Sì, le memorie della nostra famiglia. Io non voglio passare ai posteri per zampa d'un tacchino mitomane.

Mamma guarda il piatto intoccato davanti alle scapole ossure di Orty, ha gli occhi lustri, mamma, e canta, con la voce che va e viene tra le lacrime.

«*Oh merry Christmas, oh happy new year...*»

Di lì a poco, la povera donna avrebbe cominciato a sbattere la testa contro il muro, poi sarebbe caracollata a terra con la bava, e papy avrebbe dovuto praticarle la respirazione bocca a bocca con la tequila bum bum. Orty quella sequenza la conosceva bene. E che cavolo, allora, mandalo giù un boccone una volta tanto, che ti costa? Ma lei, niente, non c'era verso.

«Non vi preoccupate per me, mangiate voi, ingozzatevi. Come sono, i crostini con le cisti epatiche, buoni?»

Fosse stato per me l'avrei chiusa in caldaia e avrei girato a tutta manetta il bruciatore.

I regali? Una tragedia... «Datevi la manina, bambine, da brava Anemone, tu che sei la più grande.» Di tredici secondi sono maggiore, Manola. Di tredici pidocchiosi secondi! E, paf!, mi allentavano quella manaccia rasposa e bagnaticcia. Mi toccava trascinarcela a calci, mia sorella, sotto l'albero!

«O tutte e due insieme o niente! Le gemelline i regali li scartano insieme!»

La Grusbona trema tutta, ma intanto mette mano

al suo regalo. Mi libero e corro a scartare il mio: un'altalena, che meraviglia! Ho sempre sognato un'altalena, Manola. Adesso l'attacco nella tromba delle scale. Mi sembra già di volare sopra il bancone urlando: ooooooh! Ma ecco che sento alle mie spalle quel respiro sempre più ingolfato...

«No, no, ti prego, Orty, non piangere. Fallo per me, fallo per mamma e papà, fallo per Grogo, fallo per chi ti pare, ma non piangere! Non ci rovinare il Natale a tutti!»

E invece spalanca quella boccaccia da ranocchia: «Hèèè! Huèèè! Huèèèèè!».

«Ma che ti frigni? Non hai ancora finito di scartare il regalo e già frigni?!» Ci fosse stata una volta che non ha frignato, Manola, una sola volta! Ortensia ha un pianto tutto suo perché soffre d'asma nervosa, fa certi singulti che sembrano fischioni. Subito dopo va in apnea, le manca il fiato, diventa tutta blu. Allora bisogna darle un colpo sul petto, così lei si sblocca e ricomincia con i fischioni sincopati. Faresti di tutto pur di farla smettere.

«Any, Any cara, fai la generosa, scambia il tuo regalo con quello di Ortensiuccia!»

E ti pareva! «D'accordo» dico.

Mi becco i suoi pattini a rotelle. Niente male, comincio a pensare, questi pattinucci molleggiati, potrei saponare la terrazza solarium e andarmene a sdrucciolone là sopra. Mi sembra già di scivolare sul mondo urlando: "Ooooooh!". Ma ecco che nelle mie orecchie rimbomba un urlo disumano. Penso al supporto audio sul porco sgozzato, invece no, è ancora lei, l'incontentabile Zuccona di fosso.

«Ma cos'hai? Cos'hai?»

«Any, da brava, ridai i pattini a Ortensiuccia, d'altronde sono suoi...»

No, non glieli ridò, col cavolo che glieli ridò, penso, ma con la coda dell'occhio sbircio la mano spiegata di papy, pronta a planare sul mio capo. «D'accordo» dico.

Mi ribecco la mia altalena, volo nella tromba delle scale: «Ooooooh!».

«Any... Any, cara...»

«Che c'è?!»

«Non la vedi tua sorella, poverina, come si dispera? Lo sai che rischia di morire soffocata, come puoi essere così insensibile? È Natale, cerca di essere generosa, rendile l'altalena!»

Mi ribecco i pattini di Orty. Subito dopo mi ribecco la mia altalena. Poi di nuovo i pattini, poi ancora l'altalena, poi i pattini, poi l'altalena, poi i patt...

Orty, tra uno scambio e l'altro, ulula, si strozza, diventa blu, riceve il colpo sul petto torna rossa ricomincia con i fischioni...

Mamy, intanto, sta facendo una macumba per far resuscitare il tacchino. Tiene la mano ferma sulla fiamma della candela rossa. E nel salone banchetti addobbato con i festoni, ora c'è un gran puzzo di mano bruciata.

«Cerchiamo di restare calmi, è Natale! *Oh merry Christmas, oh happy new year...*»

Papy fa un ruttino: «*I beg your pardon!*».

Orty ha divelto l'albero di Natale, ha ingoiato la stella cometa di nonna Refola. S'arrampica sui muri, in preda a un attacco di licantropia. Tutta la famiglia ha le mani sulle orecchie, ma il suo implacabile ululato scuote ogni superficie...

Tum tututum! Pam patapam! Pum! Pam! Bum! Va in corto la luminaria, scoppiano tutte le palline di vetro, la zuppiera parte a razzo, i cappelletti navigano sul pavimento!

Mamy, a braccia aperte, si scaraventa contro il grande specchio in fondo alla sala: «Orty ti prego, risparmialo! In questo specchio, tuo nonno Gustavino si rimirò accanto a Benedetto Croce!».

Comincio a spogliarmi, non mi resta altro da fare. «Cosa vuoi? Cosa cazzo vuoi?! Vuoi pure queste?!» Mi sfilo le mutande e gliele tiro.

«Non voglio niente! Non voglio niente!»

Intanto è scesa dal muro e s'è ficcata i regali di tutta la famiglia nello scatolo, compreso il timone di papy, e l'elica di mamy.

Ora Mamy è in ginocchio e batte le mani. «Brava, Orty cara, prendi tutto te, così poi scegli con calma. Siamo una famiglia troppo nervosa perché siamo degli artisti!» Poi si strappa un'unghia e gliela porge. «Tieni, cara, prendi anche questa, ti può servire. *Oh merry Christmas, oh happy new year...*»

«Grazie, Orty» sussurra papy con il pigiama calato sulle gambe, «picchiaci, sputaci in faccia, sputaci ovunque tu voglia! Siamo una famiglia di geni!»

«E io?»

«Tu, Anemone, stai zitta, per favore stai zitta! Tu sei fortunata, sei bella! Non lo vedi lei, poverina, come soffre? Non ti ci mettere anche tu adesso, carognaccia, è Natale!»

Ortensia

Le ho portato la fotografia che lei mi ha chiesto, Ma
nola. In questo pezzetto di cartone seppiato è già scritto tutto. Ogni bambino somiglia già al proprio destino.
Avremo avuto sì e no quattro anni, mia sorella e io. Siamo al mare. Anemone indossa il suo costume da bagno
intero con lo squalo, io le braghette con le meduse. Sto
ginocchioni nella sabbia, vede? Mia sorella, invece, è
bella impettita, ha la pancia in fuori e la mano sul fianco. L'altra mano ce l'ha infilata nei miei capelli che sono tutti sporchi di mare. La vede, quella manina volitiva? Il sorriso soddisfatto di Any sembra quello di un
pescatore, immortalato con la cernia grossa. Rido anch'io, timidamente sorpresa di partecipare a quell'e-
vento fotografico.

Mi viene una rabbia, Manola, una rabbia! Come
potevo essere felice di star lì a fare la parte della cernia morta? Vorrei gridare a quella bambina: "Alzati!
Alzati, che stai facendo? Se cominci così, tutta la vita
ti escrementeranno in testa!". Io, Manola, vorrei
sconfiggere il tempo lineare, entrare in questa fotografia, acchiappare Ortensia, tirarla su, e portarla
via. Ma non si può rovesciare il tempo come una
clessidra, e scardinare questa menzogna inventata

dagli uomini per scivolare nel Grande Tempo. Non potrò più difenderla, quella bambina lì. Ciò che è fatto è fatto. I traumi sono schizzi di inchiostro indelebile che abbuiano la vita.

Comunque un bel giorno capii che il mondo non mi amava, e io smisi d'amare il mondo. Lo so, Manola, che in termini spirituali il dentro e il fuori sono categorie senza senso, ma la gente è ignorante, la gente disprezza i pipistrelli. Smisi d'affezionarmi ai clienti, e siccome sulla terra prima che comparissero gli uomini c'erano solo microbi, sono partita proprio da loro per attuare il mio programma d'annientamento.

Cominciai a disinfettare tutto, lavoravo giorno e notte alla disinfestazione. Sentivo l'obbligo morale di difendermi dai water strisciati di popò. Da allora porto sempre i guanti, Manola, e non do mai la mano. Io so cosa ho fatto con la mia, di mano, ma gli altri, la loro, potrebbero averla infilata in un mucchio di posti strani. Lo so, si tratta di evitamenti fobici, io so tutto di me. Lucianella, la mia sublime analista, dice che nascondo un considerevole senso di colpa verso la mia sessualità, e che la introietto come una cosa sporca. Manola, io mi lavo le parti pudende trenta, trentacinque volte al giorno, non c'è niente di sporco sotto la mia mutandina idrorepellente di caucciù, garantito.

Mia sorella, invece, è una luridona. Fa pipì e poi non si fa il bidet. Si tiene la gocciolina, quella scostumata. Pensi che una volta ha fatto la grossa in treno. Sì, ha posato il suo voluminoso "verovolto" sulla tavoletta delle FS ed ha lasciato cadere il suo escremento sulle rotaie tra Crotone e Vibo Valentia. Eppure i batteri continuano ad attaccare solo me.

Anemone, no. Mai una micosi, una piccola cresta di gallo, un giradito. Niente.

Il fatto è che io ho una grande predisposizione al l'empatia. Riesco, mio malgrado, ad assorbire lo stato emozionale di chiunque. Chiunque sia a pezzi, naturalmente. È una faccenda singolare: sento un vero e proprio spostamento di energie. Sono così ricettiva che una semplice passeggiata fuori dalle mura alberghiere, per me, può diventare incresciosamente molesta. Assorbo pene a destra e a manca. Se vedo un randagio, m'entra in circolo il suo randagismo, e comincio a vagare alla ricerca d'un osso. Se vedo un mendicante intirizzito, sento subito freddo. Vorrei essere meno sensibile, Manola, e non vedere quello che gli altri non vedono. Io invidio i cavalli cittadini. Invidio i loro paraocchi di pannolenci nero. Anch'io vorrei avere un piccolo sguardo fessurato. Ma purtroppo ho gli occhi dell'Argonauta Linceo. Riesco a penetrare con disinvoltura anche un muro di foratini. La pietra greggia non ancora.

Ma perché ogni cosa, dentro di me, acquista dimensioni spropositate? Ho la capacità di dilatare ogni piccola sensazione, fino a diventare io stessa quella sensazione. Mi ferisce persino vedere una foglia che cade da un albero. Io sono quella foglia, Manola. Vago tremebonda nell'aria, nel terrore di perdermi in un tappeto di foglie marcescenti, calpestata dai passi.

Ma, anche se nessuno mi tende una mano, io vado avanti nella mia missione. Non posso fare altrimenti, non posso ignorare il dolore degli altri, devo occuparmi dei più fragili, di quelli che si staccano dalla schiera dei vincenti e restano indietro.

Manola, lei quanti handicappati vede in giro? Pochi. Vuole sapere dove stanno? Imboscati al decimo piano, sulla loro carrozzella, davanti alla porta troppo stretta dell'ascensore. L'ascensore è la cruna dell'ago di questo mondo disumano, che non si lascia penetrare dall'infermità.

Una volta c'era più ignoranza, certo, ma anche più clemenza. Ogni paese aveva il suo tonto appeso a un muricciolo, e tutti gli volevano bene, tutti se lo trastullavano un poco. Oggi siamo più colti, abbiamo la posta elettronica, possiamo inviare telematicamente dall'altra parte del pianeta le nostre parole senza neppure aver finito di pensarle. Ma non sappiamo chi è quel viso che ogni mattina s'affaccia, accanto al nostro, sul davanzale confinante.

Anche i vecchi è bene lasciarli lassù ai piani alti, prossimi al cielo che li sta aspettando, questa zazzera di smog senza neppure una stella di consolo. Chi si accorgerà di loro? I coinquilini che al ritorno dalle vacanze, con i sandali gracchianti di sabbia e le buste di telline, sentiranno puzza di carogna venire loro incontro nella tromba delle scale. La vecchiaia non riguarda più nessuno, Manola. Eppure, dietro ognuno di noi c'è un vecchio in attesa seduto su una seggiolina. Un giorno saremo destinati a prendere il suo posto. Nessun chirurgo plastico potrà rimpannucciarci l'anima.

Non c'è più tempo per il dolore. La morte è solo virtuale, quella vera – scabrosa, appestante, iettatoria – bisogna tenerla nascosta. Eppure i greci ci avevano insegnato a vivere fino in fondo la tragedia di essere mortali. Ma siamo così impreparati, così idioti. Io no, per me, la morte è una signora discreta che mi vive accanto, una promessa piena di incognite, perché purtroppo, come lei ben sa, il karma di ognuno di noi continuerà a tribolare. Ma se provi a parlarne, dicono che porti scalogna. Io me ne infischio, sono votata all'allocentrismo, pratico volontariato negli ospizi.

Mi piacciono gli anziani. Mi piace il loro fiatino antico, i ricordi sempre reiterati, l'incapacità di riconoscere il presente. Lei naturalmente sa, Manola, che nei vecchi l'energia terrena più bassa viene rimpiazzata da energie più alte e sottili, che hanno a che fare con il mondo spirituale, nel quale l'anima si prepara a far ritorno. Io mi acchiocciolo accanto ai moribondi nell'attimo supremo. Vedo il raggio fluorescente dell'anima che s'incammina lungo la colonna vertebrale per uscire dal chakra del capo, e inalo gli ultimi rantoli di luce.

Mia sorella invece si tiene alla larga dagli infelici, Any vuole soltanto ridere. E ne ha ben donde, possiede una fortuna mai vista. Le farò un esempio. Ha presente quella hostess che è comparsa più volte sui giornali di tutto il mondo? Una donnina corredata di attributi fisici – naso camuso, bacino a fiasca, polpaccio da terzino – piuttosto insoliti per i parametri estetici d'alta quota. Bene, questa hostess è sopravvissuta a diciassette disastri aerei, e in ben tredici occasioni è stata l'unica superstite. Come la definisce lei una circostanza simile? Vuol dire averci un cu... un didietro, inteso come luogo simbolico della fortuna, abnorme. Ecco, diciamo che mia sorella possiede, in termini metaforici, lo stesso strabiliante diametro posteriore di quella inabbattibile creatura volante.

Anemone

Mi vede scarruffata, Manola? Per forza, non ho chiuso occhio. Ortensia è un'ossessiva compulsiva, tutta la notte è andata avanti e indietro dalla nostra camera da letto alla cucina, dalla cucina alla camera da letto, per controllare se il gas era chiuso. E sono venti piani di scale, mica scherzi! Finché stamattina l'ho trovata tramortita sui fornelli. Volevo farmi un caffè e non riuscivo proprio a staccarla, era abbarbicata.

Lei è sempre stata così maniacale. Da bambina, lavava le bambole con l'acido muriatico, gli cavava gli occhi per stanare i microbi. Manola, mia sorella porta i guanti perché ha le mani carbonizzate. Svuota interi boccioni di alcol sui sanitari, per poi dargli fuoco con il lanciafiamme. È una sua peculiarità, commuoversi davanti al water flambé. Ma lo sa, Manola, che Orty si fa le lavande vaginali con l'idraulico liquido, e nonostante queste precauzioni è costantemente afflitta da fastidiosissime vaginiti. Il fatto è che la Grusbona si trascina appresso una sfortuna terribile. Le farò un esempio. Ha presente i gatti neri? Ecco, quando Ortensia ne incrocia uno in mezzo alla strada, quello si gratta forsennatamente i genitali.

Ieri accompagno Ortensia all'ospizio "Solo Andata" – dove va a ricaricarsi – con il mio spiderino. S'alloca sul sedile completamente corazzata di casco, tuta d'amianto, e mappe stradali. Le cose si mettono subito male. Sopra al cavalcavia non si può passare perché i pilastri sono alluvionati e stanno aspettando solo noi per crollare. Sotto? Neanche a parlarne, perché sul cavalcavia, secondo lei, s'è appostato il vandalo novenne, armato di macigno, che sta aspettando il nostro passaggio per avere anche lui un suo posto in video nella schiera dei delinquenti televisivi. La provinciale che attraversa il bosco? Impossibile, perché gli ambientalisti fanno finta di salvaguardare i boschi, invece sono tutti lì a innaffiare di benzina le fratte per crearsi nuove possibilità di protesta, e lei se lo sente, che sta per divampare un incendio. Se lo sente! La strada che costeggia il lago? Sarebbe una pazzia, con l'incendio alle spalle. Finiremmo di certo come quel subacqueo che è stato risucchiato dagli idrovolanti dei pompieri, scaraventato tra le fiamme, e arrostito insieme alla trota che aveva nel retino. Lei se lo sente! E se Ortensia si sente qualcosa, Manola, creda a me, è meglio darle retta. Concordiamo sull'autostrada.

Macché: un campo minato! Tutti i camion erano bombe impazzite contro di noi, e Orty si sbracciava, faceva le corna a chiunque, gridando: «Ma quanto c'è segnato sul dischetto? Settanta. E a quanto pompi invece, a duecento, a cinquecento pompi, criminale?!».

Li puntava e poi mi assordava l'orecchio: «Adesso, adesso! Anemone, questo è il nostro, questo mastodontico Truck of the Year è quello che ci piallerà, di noi non resterà altro che marmellata di mirtilli organici. Lo sai che prima di un incidente il tempo si dilata e puoi ripercorrere tutta la tua vita in un soffio? Lo stai facendo, Any? Allora chiedimi scusa. Chiedimi scusa, pesca sciroccata, sei ancora in tempo! Eccolo, voglio guardare in faccia il nostro Long Vehicle Killer!».

Mi tremavano i piedi sull'acceleratore, e ho cominciato a pensare: "Vuoi vedere che mi schianto davvero insieme a questa gufa, sull'autostrada!" Non ci ho visto più, ho preso il cric e le ho mollato una caracca sulla zucca. «Trovati un diversivo, hai capito, Chiorbona!»

S'è messa a leggere le targhe di tutte le automobili che incontravamo, la segnaletica stradale, i manifesti pubblicitari. Leggeva a raffica: «CA 89342609. RO 90563471. SO 714506236. Pizzeria Ala Nera. Termosifoni Guareschi. Stracotto di Conegliano. Stop. Lampadine Bingo telefono 89564321. Attenzione fondo stradale scivoloso. Pasta Grano d'Oro. Agenzia funeraria Allegretti: cremazioni, tumulazioni, riesumazioni. Sconto gemelle».

Non ne potevo più! Convulsioni, spasmi, tachicardia, e come se non bastasse: «Apri il finestrino che fa caldo!», «Chiudilo che mi viene la sinusite!». La macchina tutta svomitazzata. Nella testa avevo un vespaio, Manola! Un vespaio! Alla fine arriviamo davanti a questo stramaledetto cronicario. Inchiodo e la scarico: «Vai, vai a fare la volontaria, circolare! Circolare alla larga da me, Pustola di fiele!».

Vado in un pub a ricrearmi con un po' di musica e una birra. Poi, dopo un paio d'ore, torno a prendere Ortensia. Tutto tranquillo. La Grusbona, contenta, rifaceva letti, svuotava padelle, sciacquava dentiere.

I vecchietti però la guardavano in cagnesco, le facevano lo sgambetto con i bastoncelli, i gavettoni con l'acqua benedetta. Poi ho saputo. Manola, da che Ortensia aveva varcato la soglia del cronicario, c'erano stati due infarti, tre ictus, e svariate toccatine. Mi si avvicina il direttore – piuttosto anziano anche lui – e mi fa: «Signorina, la prego, allontani seduta stante sua sorella, temo un ammutinamento dei pensionanti... questa mi svuota il reparto. Noi abbiamo bisogno di volontari, non di iettatori!».

Ortensia

Manola, ho letto che la tendenza a introiettare la negatività, per poi riproporla attivamente, nel vulgaris meridionale normalmente intesa come fenomenologia della iella, sarebbe ereditaria, inclusa nel nostro Dna. È stata una scoperta interessante. Mia nonna Refola fu perseguitata da una ragguardevole sfortuna fino all'ultimo dei suoi giorni. La mattina del suo trapasso, il prete, mentre stava accorrendo al capezzale per oliarla, venne morso da una vipera, sicché la mia povera nonna spirò senza l'estrema unzione.

Io vorrei che lei posasse la sua magica ala sul mio capo, per aiutarmi a passare attraverso questo gorgo inclemente che è la vita, indenne come una salamandra attraverso il fuoco. La pelle della salamandra ha delle ghiandole velenifere le cui secrezioni contengono due alcaloidi tossici, la salamandrina e la salamandaridina. Purtroppo, non avendomi la natura munita di questi preziosi strumenti di difesa, devo farcela con le mie forze. Io resisto solo in virtù di minuziosi riti propiziatori. Anemone le chiama manie, per me sono ancore di salvezza. Se prima d'uscire dall'albergo giro cinquanta volte la chiave nella serratura, in un verso e nell'altro, facendo trentotto genuflessioni, quarantacinque torsioni del busto, roteando la lingua novanta-sei volte, sono pressoché certa che non mi accadrà nulla.

Io non ho la patente, Manola. Mi sposto in sidecar con Grogo. Lui si accoccola vicino a me nell'abitacolo limitrofo, con il suo casco da Nuvolari. Lungo la strada, non devo mai sconfinare oltre la striscia bianca che costeggia il marciapiede, e il mignolo destro non deve sfiorare il manubrio, se incautamente lo fa, devo subito flettere – ho dieci secondi per farlo – l'indice sinistro cento e una volta, all'altezza della prima falangetta. La città ci forza alla promiscuità, al gorgonzola. E per me restare bloccata in mezzo al traffico è causa scatenante di malessere.

Un sussurro di claustrofobia divora rapido tutta l'aria vitale che mi circonda. Per fortuna, Grogo è capace di decifrare ogni sommossa del mio animo, e prontamente mi passa la bocchetta dell'ossigenazione.

E con un sorriso m'incoraggia: «Ortensiuccia, saltiamo sul tappeto di latta delle automobili e andiamo via per tettucci!».

Mi prudono le pupille. I bulbi piliferi sono in sommossa, sto guadagnando cinque millimetri di crine lungo l'intero arco dorsale. Ma ecco: il semaforo scatta, le macchine cominciano a muoversi, il tappo si stura, siamo liberi dalla morsa! Via!

Senza alcun avvertimento segnaletico, mi ritrovo in uno slargo immenso, prima di essere psicologicamente predisposta alla vastità. E come posso esserlo? Mi sento ancora strizzata tra le lamiere roventi, non ho ultimato lo smaltimento della mia sintomatologia claustrofobica. Sono totalmente impreparata. Non ho allertato le mie difese contro quel sussulto di agorafobia, che prontamente prende a squassarmi il petto. Tanti aghi, come una pioggia di rostri sputati dal cielo, mi colabrodano senza pietà. Dalla corteccia cerebrale è partita una reazione a catena che attraversa il sistema neurovegetativo e coinvolge precipitosamente tutti gli organi. Mi sto addentrando in una formidabile crisi tetanica. Ho gli arti bloccati, non riesco a muovere neppure il mignolo.

Grogo, allora, prende il comando del sidecar. Povero volatile, lui fa quello che può: svolta a destra, poi a sinistra, poi di nuovo a destra, poi di nuovo a sinistra. «Fermati, Groguccio! Fermati: il ponte!»

Grogo inchioda. Troppo tardi. I miei occhi predaci si sono già tuffati in basso nel molle letto di quel serpente d'acqua marcia che scorre lì sotto e hanno già misurato l'altezza! Crampi di acrofobia percuotono il mio corpo, lo flagellano. Sudo, anzi, sguazzo sul sedile madido. L'ipotalamo fagocita mostruosamente l'ipofisi. Sono intasata di ormoni. Le ghiandole surrenali producono fluviali quantità di cortisolo. Sono assolutamente gonfia di noradrenalina. La noradrenalina tira fuori milioni di piccole zampe solerti. Orde di formiconi pascolano nelle mie vene!

Stramazzo sul clacson: «Pepperepè! Pepperepè! Pepperepeèèèèèèèèèè...!». È la fine, sento che è la fine. Io sto morendo ma intorno a me non c'è clemenza. Nella vaghezza della mia condizione percepisco ai calcagni la corazzata degli automobilisti che avanza, assatanata di sangue urbano, di guerriglia stradale. Ma cosa volete da me? Se ne avessi la forza, libererei il passo, spingerei il sidecar oltre il ponte e mi lascerei fluitare insieme al mio turkey dalla fetida corrente di questo Stige metropolitano, fino all'inferno. Un satanasso, con una croce uncinata infissa nel lobo obeso, si curva sulla mia miserrima persona, urla, sparandomi in pieno viso le sue secrezioni salivali che, dai quartieri dormitorio degli scandali edilizi, ogni giorno viaggiano verso il cuore della città: «Levati dal cazzo, brutta scimmia, sgombrami i coglioni!».

Ribatto che non sono responsabile del suo trasferimento dal centro storico al grattacielo accanto all'inceneritore. Mi rendo conto che nel borgo d'origine l'ego del satanasso – in stretta connessione con il marchiano organo genitale che si sta rovistando in questo preciso istante – trovava appropriata e costante manutenzione. Ma non è colpa mia, Manola, se il centro è stato svuotato dei suoi prodigiosi abitanti indigeni, per lasciar posto ad artisti con parte ma senza arte, e a deputati tossicodipendenti. E, soprattutto, non sopporto che mi si dia del tu, avvalendosi d'una confidenzialità assolutamente arbitraria. Possiedo gli strumenti analitici necessari a comprendere le motivazioni inconsce del suo esubero collerico, ma mi rimane indigesto il sopruso collettivizzato del "ciao, dimmi", che trova la sua origine nella volitiva popolazione delle commesse dal posteriore compresso nel lurex elasticizzato. Glielo faccio presente.

«Senta io non la conosco. Se vuole interloquire con me, usi la terza persona. Dica: "Si levi dal cazzo, brutta scimmia, mi sgombri i coglioni".»

Il satanasso non rivela alcuna attitudine all'uso civile della parola. Repentinamente è passato a un linguaggio tattile, assai primordiale. Purtroppo non ho il tempo di verificarne l'interesse antropologico, connesso alle teorie evoluzionistiche e positiviste, perché intanto qualcosa di molto robusto è entrato in collisione violenta con il mio cranio. Prima del buio onnivoro riesco a percepire solo un vasto ronzio pieno di stelle e qualche piuma che vola.

Manola, il fatto è che nessuno ci tutela. Se vivessimo in un paese civile, sostituirebbero la obsoleta segnaletica stradale con una ben più utile segnaletica fobica: PONTE, ATTENZIONE PERICOLO DI ACROFOBIA. La psicanalisi elenca più di quattrocento fobie: io ce le ho tutte. È una evolutissima strategia per scaraventare all'esterno l'ansia, verso zone di noi stessi che ci spaventano. Certo, m'accorgo che più s'allarga il percorso fobico, più si ritira lo spazio vitale. Io vivo in gabbia.

Anemone

È il nostro passatempo preferito, Manola: la sera ci stringiamo nel lettone sovrastato dallo stemma di famiglia, e leggo a Ortensia il "Gazzettino Fobico". Mentre l'aggiorno, la mia Zerbinaccia si torce tra le coltri, terrorizzata di perdere il suo primato. Ailurofobia, aracnofobia, astrofobia, bacterofobia, brontofobia, e via discorrendo: ce le ha tutte. Arrivate alla sessuofobia scoppia puntualmente in lacrime. «Doppione!» grida. «Doppione! Arcidoppione!»

Comincia a saltare, vuole giocare all'acchiapparella intorno al letto, tira fuori un mucchio di battute divertenti. È così simpatica quando è in vena! Ortensia sta allargando il suo campo fobico a macchia d'olio. Ultimamente è diventata "lapidofobica": ciondola per i cimiteri cercando la sua data di nascita sulle lapidi. Non che mi meravigli questo esubero fobico, a casa nostra nessuno ha mai avuto il senso della misura. Siamo sempre stati una famiglia smodatamente off limits.

Quando mamy preparava le melanzane sott'olio, era capace di riempirne migliaia di barili. Le accadde dopo la menopausa. Mia madre, Manola, non sopportava l'idea di dover invecchiare. Prese dei vecchi

70

drappi e – con grande giubilo di Orty – oscurò tutti gli specchi dell'albergo, poi corse in cucina e iniziò a friggere.

La sua fu un'autentica vocazione. «Voi bambine non potete capire» diceva, «ma vostra madre è stata chiamata...» Raccontava di un sogno durante il quale le era apparso un vecchio signore molto simile al suo bisnonno, con un cappello oblungo e violaceo, come una melanzana, appunto, posato sul capo canuto, e questo signore, nel sogno, aveva pianto dicendole: «Libia, hai dormito tutta la vita. Adesso basta, alzati e vai a prendere il tuo posto accanto alla friggitrice!».

Durante l'estate, mamy surgelava quintali di melanzane per il terrore di restarne sprovvista d'inverno. Lavorava anche di notte, il tempo non le bastava più. Eppure non era mai stanca. «Mi sembra di non aver mai fatto altro» diceva. Non si curava più della sua persona, girava avvolta in un pastrano d'amianto, ma nonostante questa cautela aveva il corpo interamente coperto di cicatrici a causa degli schizzi di aceto bollente.

L'albergo ormai fluttuava dentro una densa cortina di vapori aciduli. I clienti cozzavano tra loro, avevano occhi e nasi congestionati, si incontravano nella hall e piangevano. «È bello vedervi così commossi» diceva mamy, «grazie, grazie di cuore...» Cominciarono le prime defezioni, poi, poco alla volta, anche i più fedeli ci lasciarono a uno a uno. Ma mamy non s'interessava più alle faccende pratiche, era come se si fosse sollevata finalmente da terra appresso ai suoi vapori d'aceto.

Papy l'assecondava in tutto. All'alba si carreggiava sulla groppa quintalate di melanzane. Per il resto, trascorreva le sue giornate seduto accanto alla friggitrice a guardare la moglie con certi occhi fiacchi sulle guance, i suoi occhi da innamorato. Una mattina lei gli chiese: «Cos'hai da guardarmi così, Vinicio?»

«Siamo vecchi, Libia» rispose papy, grattandosi la testa.

«Tu sei vecchio, Vinicio.»

«Hai tre mesi più di me, Libia.»

«Ma non ho la prostata.»

«Le femmine non hanno la prostata, e tu sei una femmina, Libia, anche se non lo si nota più, da almeno venticinque anni.»

«E non ho neppure un grosso fegato marcio.»

«Anche tu bevi, Libia.»

«Solo gin, e il gin non puzza.»

«Siamo vecchi e siamo ancora insieme. Ci avresti scommesso?»

«Neppure una melanzana.»

Scese un grande silenzio tra loro. E per il resto della mattinata, nella cucina, si udì solo lo sfrigolio dell'aceto. Verso le due del pomeriggio, papy scosse la testa e disse: «È strano».

Mamy lo guardò perplessa: «A cosa stai pensando?».

«Al tuo piccolo naso, Libia. Mi chiedo che fine abbia fatto.»

«Vinicio, non ti capisco più.»

«Dove hai pescato questa proboscide sfranta piena di comedoni? Dimmi la verità, in questi anni hai fatto del pugilato?»

«Non che io ricordi.»

«Allora dev'essere un naso di carnevale, Libia.»

Mamy guardò fuori dalla finestra. Nella fontana galleggiavano le prime foglie d'autunno. «Sta finendo l'estate» sussurrò.

«Siamo vecchi, Libia» disse papy scrutando la moglie.

«Tu sei vecchio, Vinicio. Hai tre mesi più di me.»

«Meno di te Libia, meno.»

Mamy gli tirò un canovaccio sporco in faccia, e sorrise dicendo: «Sono stanca di sentirti ripetere sempre le stesse cose, dev'essere quel tuo morbo».

Papy invece era serio. «Tu hai il cancro, Libia» disse.

«Un piccolo cancro molto pigro.»

«La terza età è molto indulgente, Libia.»

«Tra poco non ci saranno più melanzane, comincerà un periodo molto duro.»

«Vuoi fare l'amore, Libia?»

«Sei sicuro di farcela?»

«E tu sei sicura di farcela?»

«Ce l'abbiamo sempre fatta, Vinicio.»

«Grazie, Libia.»

«Lo sai che mi fai schifo quando mi ringrazi, Vinicio.»

«Non importa.»

Ma mamy cominciava a guardarlo con sospetto. «Hai la coscienza sporca?» disse, strofinandosi le mani sul grembiule.

«No» rispose papy.

«Di cosa volevi ringraziarmi, allora?»

«Di avermi tenuto con te.»

«E dove potevi andare?»

«Non lo so, in un altro albergo.»

«Ti sarebbe piaciuto?»

«No. E a te, Libia, sarebbe piaciuto?»

«Come posso saperlo? Quello che è fatto è fatto.»

Papy s'alzò e baciò mamy con passione, poi sussurrò: «Sei una donna così intelligente, Libia. Fatico a starti dietro...».

«Non hai bisogno di starmi dietro, Vinicio» disse mamy schiaffando nella friggitrice una manciata di melanzane.

Papy si asciugò uno schizzo d'aceto sul sopracciglio. «Dici davvero, Libia?»

Da quel giorno il mio vecchio non si sedette più accanto alla friggitrice. Si ricavò un cantuccio in giardino. Prosciugò la piscina e si rinserrò lì dentro insieme ai zanzaracci e ai rospi residui. Il cambio d'aria giovò alla comunità d'insetti che dimorava nel suo pelo. Nel giro di pochi giorni si riprodussero con fanatismo, fortificando le razze, e papy non ebbe più un solo millimetro di pelle di sua proprietà.

Era davvero triste vedere un uomo della sua età ridotto in simile schiavitù. Ormai anche la più piccola grattatina lo costringeva quotidianamente al genocidio. Gli insetti entrarono in sommossa, s'armarono contro di lui. Il formicaleone Sfrugo – uno dei più anziani abitanti di mio padre, che da ben otto anni dimorava nel quartiere residenziale del pube alto, alle porte del borgo storico del vello ombelicale – prese le sue difese, insieme a buona parte della nobiltà calabronense, dei ceti abbienti aculeati, e delle zecche ecclesiali. Si scatenò una violentissima guerra civile che insanguinò mio padre per diversi mesi, abbandonandolo infine solitario e devastato.

Si prospettava per il malconcio patriarca una vecchiaia umida e attufata; invece, con nostra meraviglia, papy rinfanciullì. Una mattina, al levar del sole lo vedemmo, completamente nudo, arrampicarsi lungo le pareti muschiose della piscina e issare la bandiera, brandendo il tridente di Nettuno, fatto di girini intrecciati. Nottetempo strappò le amache e gli ombrelloni, sradicò buona parte degli alberi circostanti, e si costruì un fortino sommerso nella palude, rigoglioso e pieno di vapori acquei come un rifugio tropicale. Nel buio armava fuochi altissimi, che sfioravano il firmamento.

Quando Vilde, ormai vedova del colonnello imperatore Rolanduccio Imparato, fiore all'occhiello dell'albergo, inquilina da più di trent'anni della suite royale, fece scendere i suoi bauli nella hall, e spedì la fedele governante Tituccia a saldare l'annoso conto, capimmo che era davvero la fine.

«Il puzzo d'aceto mi mantiene in vita, ma la piscina trasformata in un braciere mi ricorda l'inferno. Adieu!» sussurrò Vilde, sfiorandosi sul petto, con le manucce di cotone traforato, il piccolo dagherrotipo ovale del defunto Rolanduccio.

Papà prese gusto nel costruire trappole. Di tanto in tanto catturava qualche turista di passaggio nell'albergo e se lo tirava di sotto con sé. Non faceva nulla di male, giocava agli indiani. Legava le sue prede al totem, e gli girava intorno battendo le mani e spernacchiando. Era davvero un gran tipo, mio padre, Manola. Non ne nascono più uomini di quella fatta, capaci di reinventarsi la vita a settant'anni.

Andavo a trovarlo spesso, laggiù in laguna. E una notte, mentre la luna bagnava le acque purulente e le felci, papy si confidò con me. Venni a sapere che verso i dodici anni, alle soglie della pubertà, il mio vecchio aveva subito un terribile trauma: era stato espulso dagli scout per aver infilato un petardo in un nido di calabroni. I calabroni s'infurentirono e punsero tutto il suo drappello, deturpando due coccinelle di buona famiglia. All'epoca mio padre era solo un garzone di forno, e a nulla valsero le sue proteste. In quattro e quattr'otto, fu cacciato fuori dagli scout. Papy restò murato dentro quel dolore per anni, e neppure un'intera vita volta ad albergare bestiole aveva placato la sua ansia espiatoria.

Usciva di rado dal fortino. Mamy per stanarlo saliva sul nespolo: «Ehi, dico a te, Vinicio! Cerca di coprire quel tuo deretano budinoso ed esci in fretta da lì sotto, mi sono rimasti solo mille litri d'aceto...»

Accadde una mattina all'alba. Ricordo che mi svegliai e aprendo la finestra pensai che era una giornata troppo bella per essere sciupata. Il cielo brillava come un calice di cristallo e la nebbia che era ancora ferma sull'erba pareva zucchero filato. Fu Grogo a raccontarci gli ultimi attimi dei nostri genitori. Il tacchino psicopatico quel giorno aveva deciso di farsi una giratina, e riuscì a seguire la scena appostato sul tetto della camionetta. Era il ventiquattro luglio, la festa del dio Nettuno. Il capitano papy stava accompagnando mamy in città. Pare che per l'euforia lui guidasse con il tridente di girini infilato in un orecchio, e con tutti e due i piedi fuori dal finestrino, tamburellando le mani davanti alla bocca. Se la stavano spassando un mucchio, i miei vecchi. Mamy faceva la candela sul sedile, indossava solo un paio di mutandine a pois, da Minnie. Ridevano a crepapelle. Oh, sono sempre stati una coppia schifosamente affiatata, quei due! Mi piace pensare che abbiano scelto di andarsene così, ridendo. Manola, devo farle una confidenza: io quando ho l'orgasmo rido, rido a crepapelle, e subito dopo piango perché mi tornano in mente le barzellette di mia madre.

Ortensia

Non saprei dire se i miei genitori si siano buttati volontariamente nella scarpata. Certo mamy è sempre stata attratta dal volo. Ma leggendo un trattato sui simboli del suicidio, ho scoperto che chi si scaraventa dall'alto non vuole veramente uccidersi, è come se cercasse nel vuoto una mano benevola che lo trattenga.

È terribile perdere i genitori troppo presto, quando hai ancora bisogno di tutto. Il destino è davvero ingiusto. Si dovrebbe avere il diritto, e la possibilità, di uccidere i propri vecchi quando sono ancora in vita, perché di due cadaveri grigiastri non sai più che fartene.

Ricordo la camera mortuaria allestita nella piscina, i corpi stesi sul tavolo dei banchetti, la luce languida dei moccoli, la filatera degli ex clienti in lacrime. Arrivò anche il professor Buggioni, vecchio da far ribrezzo, ma ancora colmo di ardore professionale. Alzò il suo bastone da passeggio e diede l'ultimo saluto a papy con una gran botta sulla testa.

«Per noi scienziati la morte è proprio una chiavica!» sussurrò tra le lacrime.

Armida, la cuoca, faticò a scendere le scalette per

via delle ciocie. Sbuffando, infilò tra le mani annodate di mamy una grossa, indecente melanzana.

Vilde Ostregoni, la vedova spiritista del colonnello imperatore Rolanduccio Imparato, guardò la morta con mistica curiosità e sussurrò: «Quanto sei brutta, Libia, ti potevano mettere un po' di rouge, 'ste figlie...». Aprì il beauty-case e passò il rossetto alla sua governante zoccola, Tituccia, che aveva il singhiozzo perché s'era bevuta una limonata troppo fredda.

«Tieni, Tituccia, spalmaglielo con le mani tue, e poi buttalo che non si sa mai, a me la carne mortaccina m'impressiona, sono un tipo da fuochi fatui, io...» disse, storcendo il labbro superiore, leporino dalla nascita. Poi i suoi terribili occhi s'alzarono su di me e su Any. «Il pranzo del consolo, almeno quello, l'avete preparato?»

I clienti risalirono per il rinfresco sotto il gazebo. Mi rimase accanto solo Grogo che, miracolosamente scampato all'incidente, camminava con il capo bendato ciondoloni sul petto, avanti e indietro sul fondo della piscina, smoccolando contro i defunti, per colpa dei quali aveva rischiato la vita. Anch'io, sotto la veletta nera mi sentivo friggere. Avevo voglia di profanare l'immobilità di quelle due salme beate, di scaracchiargli sulle palpebre calate e gridare: "Gaudentoni, vi siete sottratti al mio giudizio, non potrò più vendicarmi. Non è vostra la bocca tappata per l'eterno: è la mia!".

Piangevo disperatamente, le mie grida rotolavano sulle groppe delle greggi lungo la collina e correvano a valle. Il mio era il pianto di un'intera vita vissuta da incompresa, da gabbata. Gli ospiti s'affacciavano a guardare in piscina. Nel tentativo di placarmi, mi lanciavano cosci d'abbacchio, maccheroni, ma io ero inconsolabile. Nessuno, Manola, avrebbe potuto restituirmi la mia famiglia, nessuno.

Sognavo a occhi aperti il giorno in cui avrei condotto i miei genitori ormai vecchi e inabili, legati come due arrostini, nel locale delle caldaie, per rinchiuderli nella gabbia vuota dei miei bruchi, e fargliele pagare tutte fin dalle origini. Fin da quel doppio uovo. Invece quei beoti avevano fatto il comodo loro tra melanzane e girini, e s'erano accomiatati da questa valle di lacrime sganasciandosi dalle risate. Ero davvero nei guai, soprattutto dal punto di vista terapeutico, perché proprio in quei giorni stavo tentando di uccidere simbolicamente mamy e papy, con il formidabile aiuto della mia analista. Va da sé che di fronte ai due cadaveri reali le mie visite guidate nell'inconscio ebbero una botta d'arresto. Lucianella andò su tutte le furie.

«Deficiente» mi aggredì, «deficiente! Lasciarteli sfuggire, minorata psichica! Te l'avevo detto di sorvegliarli... Ora come facciamo senza famiglia? Cosa demoliamo? Cosa?! Non credevo che arrivassero a tanto per sabotarmi. Sprofondare nella scarpata così, ridendo! Criminali!»

Lucianella detesta i genitori. Ce l'ha a morte con i padri. Oh, lei li infilzerebbe tutti come spiedini, i padri...

«Non bisogna perdere tempo» gridò. Mi rinserrò sul capo il cappello da safari, imbracciò la carabina, mise la cartucciera e la borraccia al collo fratturato di Grogo, tacchino da fiuto in queste battute, e partimmo subito a caccia d'incesti.

Lucianella insisteva con l'enigma di Elettra: «Eccolo lì davanti a te, il tuo Agamennone, forza, lancia il retino. Catturalo e possiedilo. Abbi, Ortensia, il coraggio di fare ciò che hai in mente da sempre!».

Manola, per quanto io sforzi la memoria, non ricordo d'aver mai rivolto la mia libido nei confronti di mio padre. A un tratto vidi il suo corpo sanguinante, con il cranio fracassato e un grosso rospo nella bocca, farsi largo tra i rovi. Faceva veramente schifo, il mio vecchio. Gridai, con tutto il fiato che avevo in gola: «No, ti prego, Lucianella, non sono una necrofila!».

La vidi divenire forastica, cadde nel fango dinamico del mio inconscio e cominciò a roteare gli occhi. «Non ci capiterà mai più un'occasione così...» farfugliò.

Il babbo intanto era stato raggiunto dalla mamma che era d'un bel viola acceso, un ciuffo di capelli verdi le grondava sul viso. Abbracciati, salirono sul dorso d'una grande ninfea e s'allontanarono portati dalla corrente lungo un corso d'acqua chiarissima, dal fondale di calce. Papy mi salutò con una pernacchietta affettuosa, mamy mi fece le ultime raccomandazioni: «La scopa di saggina per pulire il mattonato fuori, e quella di setole per pulire dentro. La pasta corta cuoce dieci minuti, la pasta lunga cinque. Confido in te, Orty!».

«Non li troveremo più» disse Lucianella. «Entreranno in una fotografia, lei con le scarpe bianche, lui coi baffi impomatati, e se ne resteranno felici e inamovibili sul buffet per il resto della tua vita.»

Tornammo al coperto che era già buio; Lucianella s'era alquanto ripresa. Preparò un punch caldo per tutti, poi propose una partita a Monopoli. Grogo s'aggiudicò subito il Parco della Vittoria e la Tassa di Lusso, e questo incanaglì ulteriormente l'umore della mia analista.

Temo, Manola, che Lucy non m'abbia mai perdonato, d'altronde è una freudiana. Visse l'incauta morte dei miei genitori come un autentico tradimento. Da quel giorno ruppe il muro del silenzio, infischiandosene del suo Vate, e cominciò a sommergermi di domande. È diventata sospettosa, e nulla serve a quietarla, neppure il fatto che io ricordo ogni nostro anniversario, fin dal primissimo trauma che affiorò, e ogni volta arrivo da lei con fiori e denari.

Adoro le domande, Manola, ma voglio essere io a farle. Le interrogazioni mi ricordano il supplizio del liceo, tra le cui mura a ogni domanda bisognava per forza trovare una piccola, precisa risposta terrena. Ancora adesso, di notte mi sveglio tutta sudata pensando al professor Stoppalipassi, a quella sua manina di cera che corre lungo gli ispidi filamenti della barbetta arancione.

Eccolo, Manola, eccolo! Sapevo che non dovevo evocarlo... Avanza verso il mio banco. Calma, Ortensia, calma. C'è ancora un margine, seppur labile, di speranza: potrebbe chiamare Anemone. Lei, infatti, è seduta accanto a me. Sta ultimando sul foglio protocollo la caricatura di Stoppalipassi, munito di un elaborato membro a spirale, con abnorme eiaculazione a roggia. Questa volta, Manola, sono certa che la beccherà. Diventerà rosso come la sua barbetta, solleverà Any di peso per un'orecchia e la spedirà dal preside: la sospenderanno. Ma cosa ci viene a fare a scuola una così? Non sa niente di niente, legge i miei appunti sull'autobus la mattina, anzi, per essere precisi, glieli leggo io, mentre lei si restaura il muso con la cazzuola da muratore, spalmandosi quattro strati di cerone color biscotto, e occhieggia i dossi inguinali della popolazione maschile appesa ai mancorrenti.

Non s'è mai fatta troppi scrupoli Anemone, ha già avuto rapporti sessuali con metà classe, con molti outsider delle classi superiori, con il supplente di Tai-chi, nonché cunnilingus e rapporti manuali ripetuti con la bidella. È ora di finirla. Verrà l'alto commissario, la radieranno da tutte le scuole del regno, e finirà a illustrare membri di gomma in un sexy shop.

«Ortensia, la prego, mi usi la gentilezza di accomodarsi alla cattedra.»

Non è possibile, ha chiamato me?! Tranquilla, Manola, sono preparata. Ho svolto ogni sorta di ricerca; mi sono incurvata sulle enciclopedie e incifosita sui saggi.

«Mi parli di quel tedesco, di quel Kant, cara Ortensia!»

Oh, che delizia, il mio Immanuel, io lo adoro, Manola! Attacco con orgoglio la mia relazione. Ma ecco che sento dentro di me una vocina: «Ortensia, stai attenta, sono molte le cose da dire, non perderti nulla. Voglio darti un consiglio. Hai esordito magistralmente, ma se continui su questa rotta, conquisterai con disinvoltura il punto C e il punto D, gli imperativi ipotetici, per arrivare in volata al punto M, l'adorato imperativo categorico. Ma tralascerai senza dubbio il punto L e il punto F. Te la senti, dopo aver faticato tanto, di snobbare la realtà non fenomenica, il formidabile noumeno? Non è da te, non puoi farlo...». È evidente che non posso farlo. Almeno, non con Immanuel. «Torna indietro...» Torno indietro. Comincio a dilatare.

Manola, io sono una senziente. Io sento il cosmo, lo usmo. Pare ormai certo che il Big Bang non sia mai esistito; l'universo è composto d'una serie infinita d'universi, che si riproducono a getto continuo come bolle di sapone. Allora perché io dovrei essere in grado di sintetizzare? Io detesto la fisica meccanica di Newton. Io non ho il mediocre dono della sintesi, a scuola sono sempre andata fuori tema. Ma come si può attraversare il fiume del sapere su un piroscafo strombettante? Bisogna lavorare di cesello, bisogna addentrarsi in ogni rivolo secondario con una piccola canoa ecologica, bisogna correre il rischio inevitabile di smarrirsi, d'impantanarsi. La cultura è coraggio. Avanti tutta! Comincia a scorrermi acqua nella testa, acqua a torrenti. Sono un pesce sperso nel grande mare della conoscenza. Boccheggio...

«Fuori, fuori!» urla Stoppalipassi. «Non si permetta di fare simili oscenità davanti a me! Una mia allieva, per molto meno, si suicidò buttandosi dalla finestra della V F, sono andato io stesso a raccogliere gli occhi in cortile per consegnarli alla famiglia! Fuori!»

Me ne andavo in bagno, salivo sul davanzale della finestra e guardavo in basso l'impiantito grigio del cortile. Mi chiedevo se anche i miei occhi si sarebbero staccati, le mie piccole iridi brune. Forse Anemone sentiva che ero in pericolo – tra gemelle le telepatie sono all'ordine del giorno – e veniva a cercarmi. Mi metteva tra le mani un paninone imbottito. Mia sorella ha una visione mostruosamente materialista delle cose, è convinta che ogni vuoto si possa riempire.

Restavo immobile di fronte all'immensità di quelle fette di salame, con i pezzi di grasso che si dilatavano davanti ai miei occhi, come unte metastasi. Gocce di pianto ammollavano il pane, si perdevano negli orti di quella pasta lievitata. Pensavo agli additivi invisibili, all'acido ascorbico, ai nitrati che durante la digestione sarebbero divenuti nitriti, pensavo a Immanuel, ai suoi inverni solitari a Königsberg, alla canoa di lische di papy. Sì, lo so, Manola, oggi per i ragazzi è diverso, esistono scuole di autostima. A piano terra.

Anemone

Quando i miei genitori mancarono, io e Orty eravamo ancora al liceo. Personalmente ricevetti manifestazioni d'affetto, e molta comprensione da parte dei
miei compagni. Per fare un esempio, il mio tirocinio
sessuale l'ho fatto nei corridoi della sezione F, ed è
stato molto piacevole. I professori no, loro non erano
interessanti. Mi è bastato buttare un occhio in giro
per capirlo.

Cosa poteva insegnarmi, che mi tornasse poi utile
nella vita, la signorina Bigiotta Quadrilla, quella con
il naso a mazzancolla, le chele tra i capelli? Al mattino doveva vedersela con la nostra classe. Al pomeriggio dava ripetizioni ai mentecatti. Alla sera s'infilava nella serranda ammezzata del salumiere per
comprare la fetta di prosciutto magro da portare di
corsa alla madre allettata. E a fine mese, con i suoi
occhietti da razza, insieme alla busta paga aspettava
le mestruazioni dolorose. O Stoppalipassi, il povero
Stoppalipassi dal fiato escrementizio. Tutta la vita
curvo sui libri, gli bastava vedere uno spicchio di
carne nuda che cominciava a sudare. Anche le unghie gli sudavano. «Cartesio diceva che le cose non
hanno anima...» e intanto allumava in giro le allieve,

cercando un po' di cose animate. Io naturalmente mi ci divertivo, lo facevo apposta. Alle interrogazioni accavallavo le gambe, poi le scavallavo, poi le riaccavallavo, e intanto dicevo i numeri: «Uno, due, tre, quattro, cinque, sei, sette, diciotto...» tanto lui mica ascoltava, guardava sotto, il triangolino delle mutande. La sufficienza. Mi sono sempre portata in albergo la sufficienza. "Intelligente ma non si applica", questa era la mia nomea. Mi applico, Manola, stia tranquilla. Dove dico io, hai voglia se mi applico!

L'unica cosa che ricordo del liceo è la piazzetta dove trascorrevo le ore con i miei amici a fumare. La scuola è un belvedere di notte, dal quale t'affacci a guardare la vita in lontananza con tutte le sue lucine. Ti tengono lì, appesa nel buio, e nessuno ti insegna come fare poi, una volta sbarcata in quel presepio di cacca. Ortensia, per dire, era una sgobbona, e adesso non riesce neppure ad attraversare la strada da sola. Restava sveglia tutta la notte per studiare, e finiva per non capirci più un fico secco.

«Ma che pretendi dal cervello? Più di tanto non lo puoi stipare!» le dicevo.

Ma lei niente: «Sono assetata di sapere! Sono assetata di sapere!».

«E allora affoga.»

Si presentava alle interrogazioni con il musone affranto, gli occhi stravolti, la barba lunga. È ovvio che a un professore di filosofia qualunque, alle otto di mattina, con il caffelatte ancora a spasso nello stomaco, gli ribolliva il sangue trovandosi di fronte una ciufeca simile. Almeno parlasse, quella Zuccona di fosso! Invece, niente. Se ne rimaneva zitta accanto alla cattedra, e oscillava come se stesse in barca.

Io la incitavo: «Forza! Dici che sai tutto tu! Sai tutto tu! E poi fai scena muta?».

Di punto in bianco, tirava fuori la sua faccia da murena e cominciava a succhiare l'aria, a succhiare a più non posso, facendo un rumoraccio indecente. E quell'erotomane di Stoppalipassi, regolarmente, la buttava fuori.

Nell'ora di ricreazione andavo a cercarla al cesso. Se l'avessi trovata impiccata allo sciacquone con le zampe penzoloni, non mi sarei affatto meravigliata: mia sorella è totalmente priva di senso dell'umorismo. Invece era lì bella tranquilla che prendeva il fresco sul cornicione. Mi faceva piacere ritrovarla intatta. Cosa vuole, Manola, Orty è la mia gemella, la mia cambiale. Quando lei non c'è, sento le tette che mi formicolano, come se m'avessero amputato qualcosa, il cuore, per esempio. «Sei troppo estrema Orty» le dicevo. «Io t'avevo consigliato di fare un po' la carina con Stoppalipassi, di raderti, di metterti un po' di rossetto. A lui piacciono molto le ragazze curate, lo sai. Come t'è venuto in mente di simulare un pompino? Con quella barba lunga poi...»

Ortensia

D'accordo, Manola, se lo desidera, possiamo parlarne, senza imbarazzo. D'altronde è freneticamente in voga tirarsi giù le braghe, e raccontare i propri misteri inguinali a chiunque. Personalmente lo trovo atroce. Trovo atroce questo costante chiacchiericcio genitale sui giornali, sugli autobus, nei ristoranti, negli asili. Ammiro le prostitute, sono le sole che non hanno voglia di parlarne. Il resto è uno sfacelo.

Io ho una dimestichezza con la mia sessualità molto intensa, psicanaliticamente pilotata. Ormai mi rendo conto che questa porzione di carne indisponente che abbiamo tra le gambe ci crea una frastagliata gamma di problemi, e quindi, dopo anni e anni di analisi freudiana, ho preso atto che l'inguine ha un peso nella nostra testa incredibilmente gravoso. Anche se trovo disdicevole mescolare quell'aristocratica polpa grigio cenere che abbiamo nel cranio con quei lembi rossi, accattoni, terzomondisti, rintanati nelle mutande.

Sono molto romantica, e non riesco a sfrondare l'eros del suo significato simbolico. Come idea generale, detesto la nudità, gli umori, le mescolanze promiscue. Non mi tranquillizza affatto saperli, sbarazzini, in giro per il suolo terrestre, tutti quei pezzettoni di carne mascula alla minacciosa ricerca d'asilo. Li ha mai visti? Gli uomini, dico, li ha mai guardati attentamente, quando ti sorpassano in macchina con quelle facce bufagne? Avanzano con il pene, pensano con il pene, tutto ciò che gli capita a tiro diventa inesorabilmente una prolunga peniena. Ma dove vanno? Manola, le chiedo, dove corre l'orda assatanata degli uomini fallici? E le mani? Le mani gli scappano sempre lì sotto; parlano, lavorano, producono, e intanto si rovistano, passano la vita a soppesare quella bassa robona. Ma cosa c'è lì sotto di così abnorme? La paura, cara Manola, ecco cosa c'è. La paura oggi è essenzialmente inguinale. Gli uomini occidentali hanno paura degli africani. Noi abbiamo le armi chimiche, ma siamo depressi fautori dell'inseminazione artificiale, quelli invece possiedono strabilianti armi naturali, hanno spermatozoi che sono autentiche bombe insegui bersaglio, finché non si schiantano dentro un ovulo non si fermano.

Mi rendo conto che le donne non aiutano questa avvilita popolazione maschile: fumano tutte, sono incresciosamente orali, e, in carriera, sono accanite fruitrici del fallo artificiale, che non solo è più affidabile, ma anche molto più igienico. Certo, hanno fatto molta strada rispetto alle scimmie, si sono liberate della peluria. Io non ancora. Per adesso ho cominciato a sbiancarmi i peli con la candeggina, anche se so che per gli africani il diavolo è albino. Vorrà dire che non avrò un compagno africano. Peccato.

Adesso, su consiglio della mia analista, mi sono imposta un periodo di ricerca fisiologica: non devo perdere contatto con questo fardello caldo, chiamato carne, e pertanto mi onanizzo. Mi onanizzo indefessamente. Mi esploro nell'intimità alla ricerca del punto G. Sono una gagliarda esploratrice, eppure non riesco a trovarlo. Mi riusciva più facile trovare il punto F, il formidabile noumeno kantiano. Evidentemente ho una maggiore dimestichezza con le sillabe filosofiche, quelle corporali mi sfuggono dalle mani. Volevo chiederle: Manola, lei è certa che in natura esista questo punto G?

Per la verità, ho una consistente fobia penetrazionale, con ragguardevoli e dolorosissime complicazioni, che non consentono il libero fluire dell'energia sessuale. Non che io abbia mai avuto esperienze dirette, ma al solo pensiero si manifesta in tutta la zona pelvica un accavallamento tendineo, e uno smisurato ampliamento della massa muscolare. Eppure, le garantisco, non ho mai fatto uso di anabolizzanti genitali. È la testa, questa testina meravigliosa che ho sul collo, a produrre simili inconvenienti. È sempre lei che inibisce il formarsi di liquori. Sì, io godo d'una diffusa secchezza vaginale, non secerno alcun liquido lubrificante. In definitiva, sono piuttosto asciuttina.

Preferirei non parlare di orgasmo. Ho sempre pensato che fosse una cosa tipo plancton, il nutrimento dei pesci, e solo di recente, attraverso appropriate letture, ho capito di cosa si tratta. Sono rimasta sbalordita. Per quanto la mia immaginazione si sforzi, non capisco come si possa dare tanta importanza a uno spasmo muscolare che dura solo pochi secondi. Forse in questo sono molto Ottocento, molto Quattrocento, molto Medioevo. Le donne di una volta, Manola, non sapevano nemmeno cosa fosse questo orgasmo, eppure riuscivano a sopravvivere benissimo. È possibile, mi chiedo, che all'improvviso sia diventato così importante? Sarà una moda. E le mode per fortuna passano. Trovo estremamente insolente la parola stessa, e se proprio dobbiamo sottostare a questa faccenda debilitante agognata dalle masse caprone, preferisco di gran lunga il francese: *petite mort*.

Quell'oltranzista di mia sorella racconta di orgasmi plurimi, un vero e proprio massacro, suppongo. La faccenda non mi riguarda: credo che prima bisogna cominciare ad averne uno, di questi orgasmi, la pluralità mi sembra decisamente un problema successivo. Any, invece, vanta una piattaforma orgasmica talmente consolidata, che, a occhio e croce, potrebbe atterrarci un Boeing.

Lei, sessualmente, è molto primordiale. Con la sua insaziabile foga ha ridotto all'impotenza un considerevole numero di maschi, a cominciare da Piergiacco, il suo fidanzato storico. A letto non faceva altro che sbandierargli il suo bagaglio parametrico, lo metteva a confronto con chiunque, soprattutto con Father Cucumber, un reverendo anglicano nostro assiduo cliente che, una volta vescovo, prese il nome di Pyromaniac Bishop. A furia di tartassarlo con le infuocate prestazioni dell'alto prelato, il laico membro di Piergiacco si carbonizzò, e lui chiese di parlare con il vescovo. In un colloquio privato nella stanza porporina, Pyromaniac Bishop gli disse: «*The fire is smouldering under the ashes...*» il fuoco cova sotto le ceneri. Fu così che Piergiacco decise di prendere i voti.

Ricordo la mattina del commiato, all'alba, davanti alla porcilaia. Non riuscivo a trattenere le lacrime, Piergiacco per me era come un confratello. Any gli regalò un bell'abito talare color caffè tostato, e lo salutò con uno scappellotto sulla chierica francescana fresca di rasatura, dicendo: «Vai, Fra Giacco, vai! Non ti voltare indietro!». Ma siccome il poveretto s'attardava con lo sguardo dentro la procace scollatura della sua ex fidanzata, lei gli allungò un calcione madornale e Fra Giacco capitombolò a muso in giù nel concime di scrofa. Mia sorella aveva fretta, Manola, perché ad attenderla dietro il cancello c'era già pronto un nuovo fidanzato.

Io invece sono molto prudente. Voglio preservarmi per un uomo solo, e sento che prima o poi lo incontrerò. Lei sa, Manola, che secondo la mitologia gli esseri umani agli albori della vita erano androgini? Fu Zeus a dividerci. Ognuno di noi è in cerca della propria metà recisa: non può che essere una. Io, la mia metà, lo immagino alto, biondo, australiano. Oppure, piccolo, ingrufato, meridionale. Per me l'aspetto non ha importanza, e neppure il carattere. Basta che mi voglia bene. Basta che mi voglia.

Anemone

Manola, io farei solo quello. Purtroppo nella vita bisogna dedicarsi anche ad altro, ma io farei solo quello. Adoro farlo, adoro quei brividini che se ne vanno per conto loro lungo la schiena, le cosce, i ginocchi, i gomiti, le unghie. Io sono tutta erogena. Se un uomo possiede una discreta potenzialità tattile e mi sa sollazzare in un certo modo tra alluce e indice, posso raggiungere in meno di tre secondi un portentoso orgasmo plantare. E non mi parli di sesso solitario, perché io sono contraria, anche nei casi estremi; mi sembra una faccenda da ospedale psichiatrico, da teste ciondoloni e grigi uccelli tra le mani. Oggi purtroppo la masturbazione, tramite l'eros cartaceo, virtuale e telefonico, ha raggiunto una inverosimile popolarità. La cosa non mi riguarda. Preferisco l'ultimo straccio d'uomo, alla mia mano.

Io sono fallica e penetrale. Ho secrezioni vaginali incredibilmente fluviali, quando mi eccito divento un lago, un piccolo, voluttuoso lago. Sento una bolla calda nella pancia che si gonfia, si gonfia, poi, all'improvviso, la bolla calda esplode ed è come se un fiume bollente m'inondasse tutta fino alla punta dei capelli e mi trascinasse lontano. E dopo l'orgasmo, mi creda, Manola,

93

non ho il cosiddetto periodo refrattario. No, sento subito un'altra grossa bolla che si rompe, poi un'altra, poi un'altra: sono una donna pluriorgasmica, io.

Ma sapesse quante opere di bene ho fatto! Sono una Santa da letto. Se uno gode dentro un bell'anfratto di carnina calda, poi non ha più voglia di menarsela con le baggianate esistenziali, ti entra in circolo tanto sangue nuovo, spurghi tossine. Il sesso è una sorta di peeling, di bagno turco dell'anima. Manola, io non mi perdo in chiacchiere, contatto la gente direttamente con la patata. Sono molto, molto naturale.

D'altra parte, anche nella natura la pornografia è imperante. Le cimici dei letti sono delle maialotte sadomasochiste, s'infilzano a morte sul più bello. Le cavallette, invece, amano la moltitudine, e fanno delle grandi batterie. Ricordo che papy si lamentava sempre, perché la notte non riusciva a chiudere occhio, a causa di tutto il sesso convulso e scambista che si articolava nella goduriosa comunità d'insetti insediata tra i suoi peli.

Ortensia non lo fa. Certo lei fa schifo al bafanzio, e questo è senza dubbio un deterrente, ma l'amore non è solo dei belli. Il mondo è pieno di coppie di bruttoni, di ciccione con le gambe a X abbracciate a certi seccardini a banana, che se ne vanno tutti felici a mangiare il gelato con il golfino sulle spalle nelle sere d'estate. Basta sapersi accontentare. Ortensia non si accontenta. Trova difetti non solo negli uomini a portata di mano, ma anche in tutti quelli che stanno dentro la televisione, gli attori, i goleador, i mezzibusti. Ogni tanto dice che le piace qualche negro, non gli sportivi: quelli piacciono anche a me. No, quelli condannati alla sedia elettrica. Gli unici negri mosci, con i denti cariati, assassini plurimi, che passano sullo schermo, quelli piacciono a lei. Orty dice che hanno una luce particolare negli occhi.

La verità è che mia sorella è molto bugiarda. E poi è antipatica, con gli uomini è veramente antipatica, fa la sofisticata, li mette in difficoltà. Io dico: sei tanto brutta, almeno cerca di essere simpatica! Tu pensi che se inchiodi uno sull'analisi dell'angoscia e del nulla di Heidegger a quello poi gli viene voglia di scoparti?!

Una volta avevo un fidanzato gentile, di quelli tanto innamorati che ti ricordano pure quando devi cambiare l'assorbente. Era così utile che avrei voluto proprio sposarmelo. E siccome a questo gli piaceva molto fare la famigliola, quando uscivamo mi portavo appresso quella moccolona di mia sorella, per farla svagare un po'. Lui, tutto contento, pagava pure per la Grusbona. A lei non le andava mai bene niente. Trovava da ridire su tutto. Se andavamo al cinema, insisteva affinché scegliessimo noi il film. «Io che c'entro» diceva, «siete voi i piccioncini, io reggo solo il moccolo...» In sala si godeva il film, fischiava, rideva, sputava pop-corn in faccia a tutti, e a ogni occasione stuzzicante si buttava addosso al mio fidanzato per pomiciarselo un po'. Poi, all'uscita, diceva che era un film per cerebrolesi. Se mangiavamo il gelato, si lamentava perché, secondo lei, era fatto con le bustine di frutta sintetica; se mangiavamo il cocomero, sosteneva che era maturato artificialmente nel giro di quindici secondi attraverso l'infiltrazione di qualche diavoleria chimica. Passava ore a cercare traccia della nocivissima punzonata sulla scorza, alla fine trovava un buchetto qualunque e si metteva a saltare dalla gioia: «Voi ve lo siete mangiato e io no! Ah, ah ah!».

Come se non bastasse, prendeva per i fondelli quel poverello del mio fidanzato, che aveva l'erre instabile e tartagliava leggermente. Lo sottoponeva alla prova degli scioglilingua: «Sopra la panca la capra campa sotto la panca la capra crepa... Trentatré trentini entrarono a Trento, tutti e trentatré trotterellando...». Quello ci cascava con tutte le scarpe, perché, oltre a essere balbuziente, era un po' citrullo. Orty faceva la foniatra, gli sbirciava la recchia col cornetto d'ottone, gli guardava la gola col cucchiaio. Glielo schiantava fino allo stomaco, il cucchiaio! E quello, poverino, farfugliava sempre di più. Cominciò anche a zoppiccare leggermente. Se ne accorse Ortensia, che il mio fidanzato zoppicava. Lo costrinse a fare il salto a ostacoli in giardino con un bastone che lei reggeva nell'aria a circa un metro da terra. Come quello passava in volata, Orty alzava il bastone, e il poveraccio si fracassava sulla ghiaia.

Eravamo a un passo dal matrimonio, il mio fidanzato ormai era tutto ammaccato. Pustola di fiele mi aiutava col corredo, e intanto faceva le sue riflessioni: «È un bravo ragazzo, pieno di volontà, fai bene a sposartelo, solo che è bombardato, sei sicura di voler dividere la tua vita con un bombardato?».

«Sì, sono abbastanza sicura...»

«Tu non hai spirito di sacrificio, Any, lo sai. Questo se va avanti così ti finisce allettato. Io non ci vengo a cambiargli la padella...»

«Ma chi t'ha chiesto niente! Pensa a te, guarda come sei concia!»

Invece, è d'obbligo dirlo, Manola, Orty era rifiorita, in quel periodo. Mia sorella, se ha per le mani qualcuno da acciaccare, si ringalluzzisce. Non le sembrava vero, finalmente poteva fare l'infermiera. Somministrava al mio fidanzato tisane, fumenti, siringoni, fanghi, salassi. Insomma, lo aveva imbottito quel poveraccio, che ormai pareva un vecchierello. Insisteva anche col pannolone: «Non si sa mai, Piergiacco, che cominci a perdere qualcosina, così almeno sei già bardato...».

E Piergiacco mise il pannolone. Poi Ortensia gli regalò la sedia a rotelle. Nelle sere d'inverno davanti al caminetto, la Chiorbona sferruzzava una coperta per il mio promesso sposo, e intanto mi sputtanava con un bel sorriso stampato sul faccino, come se mi stesse riempiendo di complimenti.

«Any è così sportiva, avresti dovuta vederla, Piergiacco, quando vinse i campionati regionali di copula sottomarina...»

Sì, è vero, Manola, m'impegnai in tredici ore di appassionata sessualità acquatica, con un fornitissimo pescatore liparota. Piergiacco cominciò a pensare che non fossi io la moglie adatta a lui, anche se, con il suo consueto ottimismo, mi propose ugualmente di tentare. «Tesoro» gli dissi, «sei sicuro di voler affrontare questo rischio nelle tue condizioni?»

«Any, il matrimonio è comunque un terno al lotto» sussurrò Piergiacco, sistemandosi nella vena l'ago della flebo col bibitone fisiologico.

«Non sono una donna fedele, lo sai.»

«Lo so, ma io sono un uomo fedele, possiamo compensarci.»

«Non ti merito» risposi, baciandolo sulla fronte. Si dice sempre non ti merito quando si vuole scaricare uno, è una frase spaventosamente salvifica. In verità, Manola, non avevo nessuna intenzione di giocare al lotto, non con il bombardato. Presi la palla al balzo e partii con la Reincarnatio Tour. Lasciai l'orangutan Orty a sferruzzare accanto al mio fidanzato. Mi sembravano così perfetti, insieme... cominciavo a nutrire qualche speranza. La mattina della partenza incontrai Grogo che camminava nervosamente nella hall. Aveva una brutta cera, l'uccellaccio, e stava soffrendo. «Il cuore è uno zingaro...» sospirò.

Eppure le cose non andarono secondo le mie previsioni. Al ritorno dal mio viaggio, Ortensia venne a prendermi alla stazione. Aveva il casco da palombaro in testa, e la carabina a tracolla. Dalla carabina, capii che non stava bene. «A cosa ti serve?» chiesi.

«C'è gente strana in giro...»

«Chi?»

«Gente. Tu ti fai i viaggetti, intanto qui le cose si complicano e io devo difendere la proprietà da sola!»

In albergo, sulla sedia a rotelle, trovai Grogo con il brodino sul portavivande e il telecomando in mano. Che fine abbia fatto Piergiacco non sono mai riuscita a saperlo. Grogo dice che s'è fatto prete. Ma Grogo dice un sacco di sciocchezze.

A questo punto, non riesco a immaginare quale possa essere il futuro di Ortensia in campo sentimentale. Mi rendo conto che, oggi come oggi, non è facile trovare un maschio valido. I confini tra un sesso e l'altro sono così incerti. Le pagine dei giornali grondano di minorenni anoressiche con le occhiaie di seppia e i capelli rasati, che indossano stracci militari, e di ragazzotti con le labbra tumefatte e l'ombretto intorno allo sguardo, che indossano magliette di raso e gonnelloni. Io no, non mi lascio androgizzare. Sarà un modo come un altro per venirsi incontro, ma a me non piace questa concitata tensione verso l'androgino. Io mi vesto nei mercatini, e mi pettina Jolanda a me, una delle poche superstiti apprezzatrici del capello lungo e della cotonatura. Il minimalismo io non so cosa sia, non mi riguarda. Si minimizzassero le altre, le bruttone, le secche. Io, che me lo posso permettere, mi massimizzo, mi strizzo le pocce, mi slancio la coscia. Sono una tradizionalista, Manola.

Io adoro gli uomini un po' avanti negli anni, quelli con gli straccali, la braca lenta che consente la giusta aerazione del membro, gli affezionati della giarrettiera, del vedo e non vedo, del lusco e il brusco. Per loro la fica è ancora un oggetto della misericordia, e non smettono mai di ringraziarti. A questi pinocchietti di oggi, invece, sembra che gli dai la cacca.

Il mio amante migliore è stato un vescovo anglicano. Un uomo colto, raffinato. Era un cliente dell'albergo molto metodico, si presentava ogni giovedì. Nell'intimità era fantastico, faceva il drago. Sul più bello inghiottiva un sorso di benzina e sputava fuoco. Pyromaniac Bishop aveva novantasette anni, ma era un torello. Manola, mi creda, un torello!

Ortensia

Allora ho fatto una scelta di campo: sono diventata comunista. Una fatica immane, Manola, ma filosoficamente artigliata. Infatti, già nei filosofi cinici Antistene e Diogene era presente, seppure in forma larvata, un certo magone comunista. Questa scoperta mi rassicurò sulla giusta consequenzialità del mio agire intellettuale. Era sbalorditivamente logico che, avendo da poco nel mio insaziabile flusso culturale lambito il litorale dell'autocoscienza hegeliana, in una bella giornata di sole approdassi a Marx e al suo compagnone Engels.

Il concetto di classe sfruttata e classe sfruttatrice, applicato al mio ambito alberghiero, mi convinse immediatamente. Rivendicai l'appartenenza al proletariato spirituale, in contrapposizione con l'egemonia borghese, caratterizzata dal materialismo storico di mia sorella Any. Anche la comunanza dei beni mi trovò disponibile: ero prontissima a mettere le mie risorse al servizio di chiunque, sebbene i compagni sembrassero contrari a questa disponibilità.

Alle assemblee non mi lasciavano mai parlare: le mie scrupolose analisi del sistema erano considerate soporifere e reazionarie. Venivo tacciata d'integralismo, di ortodossia maniacale, di oscurantismo assoluto. La verità, Manola, è che io ero già troppo avanti. Mi guardavo intorno con una certa preoccupazione, intuendo che, messi alla portata della massa zoticona, gli ideali comunisti subivano un nauseabondo processo di degrado. Ero l'integerrima portatrice della parola di Karl Heinrich, sentivo il peso etico di quella responsabilità, era lui che mi implorava di tenere duro. Dovevo spiegarmi.

Correvano i minacciosi anni della contestazione sudiciona, non potevo lasciare qualcosa all'immaginario approssimativo dei compagni. Mi tiravano le cicche delle canne, mi orinavano sugli zoccoli. Io non ho nulla contro lo smantellamento globale, solo ti chiedo, lurido ebete tossico che brandisci l'ascia da indiano e lanci bottiglie incendiarie sfasciando indistintamente tutto quello che ti capita a tiro: «Sai costruire? Hai letto qualche libro? Sai chi era Vjačeslav Michajlovič Skrjabin, detto Molotov? La doccia te la fai?». Si fa presto, Manola, a cambiare pelle. Ma, per fare la rivoluzione, bisogna studiare!

Da quello spirito libero che sono sempre stata e sempre sarò, apportai piccole modifiche ai precetti del maestro, perché ogni dogma, Manola, nel momento di essere applicato, subisce un inevitabile processo di personalizzazione. Pensi ai gulag, Manola, o a certi villaggetti similari. Io sono stata più discreta, ma il lavoro c'era, e sodo.

Lo zar Vinicio e la zarina Libia erano già defunti, quindi non ho dovuto faticare di machete (anche se un tirannicidio mi avrebbe dato una carica propulsiva di notevole impatto), ma Any-Anastasia, lei, era ancora viva, e tale ho dovuto lasciarla. Certo, mi sono trovata costretta a riportarla in tazza, a ridimensionarla, insomma. Tutta la vita di mia sorella è volta al procacciamento dei beni materiali – minigonne, bigodini e affini – io invece ho sempre avuto poco o nulla. Facendo un paio di conti a braccio, mi resi conto che il plusvalore generato dalla mia fatica, da sempre, era finito nelle sue tasche.

Stabilii nuove regole di vita. Innanzitutto dovevo racconciare il guasto lasciato dalla reggenza dei due vecchi sibariti. Quindi, per pubblica necessità, mi mossi con il mio reggimento capitanato dal fido Grogo, verso una confisca dei beni della capitalista Any. Poi le proposi un regime alternativo, lasciandole piena libertà di scelta. Da parte mia, ero fortemente attratta dalla stalinismo, ma alla fine, per quieto vivere, ci accordammo sul modello cinese. Fu un periodo molto bello e intenso, eravamo tornate identiche, nelle nostre casacche di cotone ruvido: due gemelle serene, senza revanscismi individuali. La cura comunista ci faceva bene, e cominciavo a essere speranzosa.

Una sera mi sbilanciai. «Che ne diresti» chiesi ad Any, «di mettere tutto in comune, affetti compresi? Adesso che hai chiuso con Piergiacco, potremmo cercare anche noi un Eng e Chang, i formidabili siamesi nati e cresciuti a Siam, che pur avendo un solo torace in due, si sposarono una coppia di gemelle e fecero tanti bei figli...» Any mi sembrò interessata alla proposta. Si raccoglieva i capelli, non si truccava, rispettava i turni di lavoro: sembrava un'altra. Naturalmente mentiva. Non appena abbassavo la guardia di un solo centimetro, lei, supportata dal suo rozzo ma perspicace intelletto, riusciva a raggirarmi. Si riappropriava delle chincaglierie, e partiva per scorribande notturne al seguito di qualche bakuniano d'accatto.

Fui costretta alla sorveglianza speciale, riunimmo il comitato centrale e dopo una requisitoria molto intensa, la maggioranza, composta da me e da Grogo, decise per il ghigliottinamento dei boccoli a cannolo. Speravo che senza la sua chioma da reginetta di bellezza dell'Arizona, Anemone riuscisse finalmente a misurare il vuoto dentro di sé.

Ma la Storia non ha giocato in mio favore. Le travi portanti hanno ceduto, e gli ideali sono crollati tra i calcinacci. La gente si è portata a casa un pezzo di mattone come ricordo, ed è finito tutto così, risucchiato da questa cultura orgiastica.

Ormai, Manola, passiamo la vita a buttare bottiglie di plastica, lattine, rasoi, mutande, macchine fotografiche: una barbarie. Poi si grida allo scandalo se qualcuno butta anche il neonato nel cassonetto. I cassonetti sono, nell'immaginario collettivo, il posto più accogliente dove riporre l'esubero che ci circonda. Niente vale più la pena di essere trattenuto. Manola, non siamo altro che giganteschi rutti. Rimpiango la parsimonia di una volta. Mia nonna Refola conservava le carte dei cioccolatini. E io fatico a gettar via gli assorbenti. Sì, uso i panni di lino, anche se non ne ho bisogno perché soffro di criptomenorrea. Il mestruo resta dentro di me, non si disperde. Forse sono una stupida nostalgica, ma il mio corpo si rifiuta di buttare fuori il rosso.

È doloroso, Manola. Ma d'altra parte si cresce solo sul dolore. Certo, nel mio caso si può tranquillamente parlare di una crescita ciclopica. Anemone invece non è cresciuta affatto e sta molto meglio di me. È naturale, se vivi come una qualunquista non ti succede, non vai mai incontro a crolli fisici, psicologici, totali. Ma mia sorella dispone di un cervello primordiale, rettiliano. Nei suoi giorni migliori, quando affina tutte le sue misere potenzialità, può sperare di servirsi di un cervello limbico. Mentre io, Manola, ho raggiunto la neo cortex, il più alto stadio evolutivo dell'intera esperienza neurovegetativa. Io sono rimasta per un intero anno a picchettare una fabbrica sotto la pioggia ininterrotta, mentre i compagni puzzoni si defilavano a uno a uno. E quando gli agenti sono venuti a prelevarmi, non ho emesso neppure un solo grido di disappunto. Con tutta quella pioggia ero diventata talmente afona, con una laringe così inzeppata di infezioni, da far esultare un intero congresso di otorinolaringoiatri. E lo sa dove hanno avuto la faccia tosta di condurmi? Al Neuropsichiatrico.

Anemone

Presi la maturità con un punteggio discreto: quarantadue. Ortensia no, lei non si è mai diplomata, ebbe l'esaurimento. Fu per via del comunismo.

Io come al solito ho cercato di darle una mano: «Lascia stare, è solo una scusa per alzare un po' di polverone, non ti ci mettere in mezzo, hai l'asma. Credi che qualcuno di questi finti sdruciti sia disposto a rinunciare alla fettina impanata, alla paghetta settimanale, al motorino, alla crema per i brufoli? Ma dai! È solo che non hanno voglia di lavarsi, e i blue-jeans tengono meglio lo sporco. Questi, finito il polverone, te li ritrovi tutti profumati col cravattino e la grisaglia, puoi giurarci che diventeranno molto, ma molto più stronzi dei loro genitori. Tu pensi davvero» le chiedevo «che gli operai andranno appresso a questi? Gli operai hanno tutti il televisore in salotto e il televisore in camera da letto. Per cosa dovrebbero fare la rivoluzione? Per il terzo televisore? Li hai visti come stanno dall'altra parte, all'Est? In bianco e nero, stanno, come nei loro documentari, noi qui invece abbiamo tutti questi bei colori!».

Ma quella Zuccona di fosso s'era incaponita di brutto. Diceva che ci avrebbe pensato lei a convincere gli operai. Insistette pure per un viaggetto a Mosca. Un'angoscia, Manola, tutto quel freddo, tutta quella miseria, tutti quegli ubriaconi. L'albergo era attrezzatissimo, le finestre avevano le tapparelle elettriche, solo che erano rotte, e l'addetto alle tapparelle era malato. C'era l'addetto ai termosifoni, un tipone simpatico che puzzava di sugna e verza, bravissimo ad aggiustare tapparelle, ma non poteva farlo, perché non era suo compito, e in caso di sconfinamento sarebbe stato accusato dal Soviet Supremo di rampantismo fantasista. E così, siamo rimaste sempre al buio.

Al ristorante ti portavano un bel menù con tante squisitezze scritte: ordinavi, ma i piatti restavano vuoti. Il maître allargava le braccia e alzava gli occhi al cielo, dove nessun Dio era autorizzato dal regime a soccorrerlo. Alla fine tirava fuori dalla saccoccia una scatoletta di caviale e sussurrava: «*Dollars, dollars...*» come Zio Paperone. Davanti ai negozi, sotto il gelo buscherone, si formavano file silenziose che duravano un giorno intero. Quando la roba finiva, la gente se ne andava a mani vuote, con lo stesso silenzio.

«Io al posto loro sarei una belva, butterei un bomba...» dicevo a Orty. E Orty mi spiegava che non potevo capire perché ero occidentale, e non sapevo cosa fosse l'attesa. L'unica cosa che avevano era il gelato, montagne di gelato. Per strada se ne andavano in giro intabarrati dentro certe malconciate pellicce (così spinacione che facevano venire l'orticaria solo a guardarle), con il cono al limone appeso alla manuccia intirizzita. Era ovvio che li prendevano per i fondelli. Orty non era d'accordo: «Hanno la musica classica, loro ascoltano Čajkovskij!».

Sull'aereo mi obbligò a leggere qualche pagina del

Capitalone. Devo dirle, Manola, che certi concetti teorici di questo comunismo non sarebbero così malvagi, solo che poi, a vederlo fatto e servito, prendi il fugone. Ortensia sosteneva che, comunque, il comunismo quando si applica subisce delle modifiche, come il pavimento quando lo metti in opera. Dipende dal terreno che trovi. Lei, naturalmente, si aggiustò tutto a misura per le sue zolle.

Al ritorno in albergo, cominciò a guardarmi strano, mi aveva preso di mira. «Ho il nemico in casa, il nemico in casa... L'imperialista sotto lo stesso tetto...» borbottava. In mezzo alla notte si svegliava gridando: «Pagherai caro, pagherai tutto!» e mi raggiungeva nel cesso col manganello. «Dammi un'altra botta, sai» le dicevo, «che già non mi reggo in piedi...» È la pura verità, Manola: passavo le nottate sulla tazza, perché lei faceva Stalin e mi metteva le purghe nell'acqua minerale. E di giorno mi perseguitava con un paio di forbicioni, perché i miei, diceva, erano capelli filoamericani. Alla fine, siccome a Mosca aveva visto con i suoi occhi che non se la passavano troppo bene, ripiegò sui cinesi.

Una mattina me la ritrovo davanti con i tiranti agli occhi, il camicione di stoffa da materasso, il berrettuccio con la visiera, e il libretto rosso in pugno. Faccio finta di niente e vado in bagno a lavarmi i denti. Più tardi scendo in garage, e trovo il motorino carbonizzato e, parcheggiate sulle sue ceneri, due belle biciclettine, primo Novecento. Mi volto, e lei sta lì, alle mie spalle, con quella faccia tutta stirata da lince. «Pedalare, pedalare, pedalare!» gridava. Il sidecar suo però non l'aveva eliminato, anzi c'era Grogo con la tuta da lavoro, buttato in terra, che revisionava il motore. L'ho sollevata di peso per la treccia: «E quello, perché non l'hai bruciato?».

«Quello ci serve in caso di fuga, se dovessero tornare...»

«Chi?»

«I nazionalisti.»

Da quel giorno cominciò il calvario. Come prima cosa doveva togliere le terre ai latifondisti per renderle ai contadini, e siccome i contadini non c'erano, regalò il parco ai nomadi che lo inzepparono di baracche fetenti e di Mercedes color salmone. All'alba pretendeva che andassimo a estrarre il tungsteno, azzuppò tutto l'orto per fare le risaie, e a pranzo si mangiavano solo mandarini.

Grogo, naturalmente, le andava appresso tutto impettito. L'uccellaccio era partito blando, si era annodato un fazzolettone rosso attorno al collo come Garibaldi. Stava sempre a piagnucolare: «I Mille, voglio i Mille...». E Orty gli comprò mille pulcinoni, che s'incimurrirono subito, perché, a tutte le ore del giorno e della notte, il Generale Grogo li costringeva a simulare gli sbarchi in piscina. Poi si orientalizzò pure lui, e si montò la cresta. Finì che si credeva Mao Tse-tung, quel megalomane psicopatico, e i pulcinoni via, avanti e indietro, a fare la lunga marcia. Per me furono tempi durissimi. Orty mi chiamava Chiang Kai-shek: «Vattene a Formosa, porca nazionalista...». Avevo già pronte le valigie, non ce la facevo più.

Ma, un bel giorno, si piazzò da sola, con elmetto e striscioni, sotto l'acqua che scendeva giù a bacili, davanti a una fabbrica abbandonata. Cominciò a tirare i sassi a chiunque passasse di lì, ai cani randagi, ai topi. Le venne la broncopolmonite. Non avevo molte alternative. Per farla schiodare chiamai la Neuro.

Manola, guardi, oggi, a bocce ferme, glielo posso dire: per me gli ideali sono solo una fregatura grossa come la grande muraglia, sembrano chissà che, poi pigliano e crollano. Crollano a tamburo battente. Quando buttarono giù quel muro famoso in Germania (lo hanno fatto vedere un mucchio di volte in televisione), e c'erano tutti quegli spinacioni biondi che correvano, saltavano, s'abbracciavano, Ortensia s'è messa a piangere a fischione, a strapparsi la barba. «Ma che, ti è caduto in testa a te?» le ho detto. «Mica hai i calcinacci in casa...» No, era il crollo degli ideali. «Ma che ti frega» ho insistito, «lasciali perdere, questi ideali, se sono così perniciosi. Li frequento, io? No. E vedi, come sto bene!»

Ma Orty dice che con me non ci vuole più parlare, che tutto il dolore del mondo se lo carreggia lei nel gozzo, mentre io intanto mi cambio gli assorbenti impunemente e posso campare da facilona perché c'è lei che soffre al posto mio. Dice che sono una minorata psichica, una materialona, una vanitosona che s'addobba come un uovo di pasqua. Capirai, lei si veste sempre di nero, quando stende i panni sembra che abbia fatto il bucato Diabolik. Ha l'eczema della vedova a causa dell'anilina, e per curarsi si copre tutta di zolfo. I compagni la fracassavano di botte, perché mica ce la volevano alle assemblee, tutta nera così, con quella puzza d'inferno addosso.

I fascisti no. Loro per fortuna non la menavano. Giusto qualche gavettone... gli faceva pena, lo capivano che era una mezza spostata, un'invasata.

Ortensia

Al Neuropsichiatrico ho conosciuto Lucianella, la mia analista, una donna formidabile. No, non lavorava lì, era ricoverata: aveva tentato di evirare il nonno. È stato grazie a lei che ho potuto venirne fuori. Averla lì nel lettino accanto al mio, con quel capino spiumato, la dentiera nel bicchiere, mi ha dato una forza inaudita. Manola, è giunto il momento che io le spieghi come stanno le cose: dove finisce il cattolicesimo s'affaccia il comunismo, dove si schianta il comunismo attecchisce salda la psicanalisi, dove tentenna la psicanalisi s'insinua la magia.

Naturalmente Lucianella non sa niente di lei, Manola, le darei un dolore immenso mettendola al corrente di questo mio languore esoterico: cosa vuole, sono la sua unica paziente. Ci vado tutti i giorni, più volte al giorno, e lei mi accoglie sempre a braccia aperte. Abita non distante da qui in una simpatica grotta. Sì, per occuparsi di me, anche quando non ci sono, ha preferito interrarsi in un substrato piuttosto cupo e minaccioso, che in qualche maniera riproponesse geologicamente la mia complessa interiorità.

Manola, il freudismo mi euforizza, come una passeggiata ad alta quota, forse perché mi sento figlia di

110

un'altra epoca, quella degli imperativi categorici. Oggi purtroppo l'unico imperativo è godere, ma io non ci riesco, sono troppo intelligente. Lascio godere i cretini.

Ma c'è qualcosa che non mi torna. Dopo anni, anzi decenni, di analisi, so prevedere ogni mio comportamento, ogni infima coazione, eppure, da un punto di vista operativo, non mi serve a niente. L'inconscio, allenatissimo, e molto avveduto, riesce ad aggirare ogni ostacolo terapeutico per condurmi a fare sempre il suo porco, e per me rischiosissimo, comodo. Anche sotto ipnosi, non c'è nulla da fare. Il furbacchione riesce a eludere i raid oftalmici della fida Lucianella, che ormai ha posto come unico scopo della sua esistenza l'espugnazione di questo mio coriaceo inquilino del piano di sotto. Spesso sento un grande frastuono dentro, come d'una maestosa risata. Volevo chiederle, Manola: lei crede che il mio inconscio si prenda gioco di me?

Mia sorella Anemone, invece, ride allo scoperto. Eh sì, lei introietta solo bomboloni alla crema chantilly e organi genitali. Per il resto, vive in una dimensione così spudoratamente epidermica, che se l'avesse incontrata Freud avrebbe senz'altro cambiato mestiere. Voglio dire, che mai e poi mai avrebbe scoperto l'inconscio. Posso garantirle, Manola, che mia sorella non lo possiede. Lei dice di essere felice così, di sentirsi leggera come una farfallina. Non lo metto in dubbio. Ma si rende conto di quanto dannose possono essere per l'umanità persone simili? Per colpa di Anemone, dopo la rivoluzione copernicana, dopo quella darwiniana, dopo la relatività di Einstein, non ci sarebbe stata la più magnanima scoperta di questo millennio. Il Novecento non avrebbe avuto senso, e io, piccolo, risibile essere umano, senza lo scandaglio dell'analisi non avrei avuto modo di ripescare intatta l'emozione dei miei infiniti traumi, e di praticare l'unico training che mi tiene in vita: l'immersione nel mio mare dinamico. Tutto questo solo per colpa di quella rudimentale cloaca di mia sorella! Manola, sento il bisogno di piangere. Lucianella asserisce che non devo trattenermi. «Butta fuori, Ortensia! Piangi, piangi... Spurga!» mi incita. No, non ci riesco, in questo preciso momento non ci riesco. Colpa del plesso: mi si blocca.

Anemone, naturalmente, dice che devo liberarmi di Lucianella, che devo buttarmi in pista. Ma io non ho il cu... sì, insomma, la fortuna sfrontata di mia sorella. Ho dovuto imparare a difendermi, io.

Lunedì mi ha portata al mare. S'è messa a ballare in tanga, sulla spiaggia deserta di bagnanti, mentre intorno a lei un eccitatissimo squadrone di ambulanti africani batteva le mani e le lingue, a ritmo di rap. A essere onesta, più che di un ballo si trattava di preliminari già molto spinti. Se l'avessi fatto io, mi sarei trasformata, nel giro di pochi secondi, in un trafiletto di cronaca nera. Anemone, invece, quando s'è stancata delle danze, con maestosa tranquillità ha adagiato il suo opimo corpo bianco sulla spiaggia, ha chiuso gli occhi, ed è tornata a prendere il sole, doppiamente beata. Gli africani si sono inginocchiati a scrutarle i seni e non solo, come cani famelici intorno allo stesso osso. Ho anticipato la carneficina e, mentre il primo stava per saltarle addosso a membro inequivocabilmente eretto, sono intervenuta.

Ho comprato trenta parei, quarantasette paia di occhiali finti Ray-ban, centocinquanta confezioni di fazzolettini di carta, tutto il collaname insieme a tutto l'orecchiname. Insomma, ho deviato, con la prontezza di una fuoriclasse, la mastodontica pulsione erotica degli africani, dal corpo di mia sorella, al denaro.

Sa che cosa mi ha detto quella meretrice di Anemone? «Sembri la madonna di Pompei!» E io, che mi aspettavo una parola di riconoscenza, o anche solo un gesto, un impercettibile moto degli occhi o della mano, qualcosa insomma che significasse: grazie, te ne sono grata. Pare che il mondo non la pensi così, pare che io non abbia diritto a nulla. Quelle come Any avranno sempre vita facile finché si troveranno sulla loro strada allocche della mia fatta.

Manola, sento che l'analisi non mi sostiene nella ribellione; il mio inconscio se la ride, e io sono sempre più costipata. Vorrei che lei mi aiutasse a trovare nella cabala la formula per metabolizzare le diffuse angherie che mia sorella opera su di me. Devo trovare il coraggio, diciamo pure il cinismo, di acchiappare il mio asciugamano, buttarlo nella sacca, e allontanarmi sul bagnasciuga con il mio costume nero olimpionico, per lasciare che, alle mie spalle, il terzo mondo sfili quel turpe brandello di tanga dalle chiappe di mia sorella e la stupri!

Oddio, cosa m'è scappato detto?! Non è possibile che io sia diventata così terrestre! Devo correre a sciacquarmi la bocca con l'acido muriatico. Dove finisce tutta questa lurida rabbia covata? Dove? Nell'unico spazio che ho a disposizione: me stessa, la mia coscienza. Io mi elevo a livello di latrina dei miei istinti più bassi. Manola, devo stimolare rapidamente le mie difese immunitarie affinché mettano in atto un vigoroso processo espiatorio. Ma già sento che sotto labbro sta germogliando un fantastico herpes con vescicole a grappolo. Lucianella mi ha detto che il volto si suddivide simbolicamente in tre fasce: la bocca corrisponde ai genitali. Sono salva!

Anemone

Il vero guaio di mia sorella, Manola, è che tutti i santi giorni, zaino in spalla, s'arrampica fino a un grotto pieno di pipistrelli, dove l'aspetta una certa Lucianella. Orty sostiene che si tratta di una psicanalista molto apprezzata, però fa la vita del cinghiale. Si nutre di bacche e larve, e solo raramente cala a valle, brandendo, sotto la sua cappa di muschio e ragnatele, un paio di giganteschi forbicioni. Nelle fattorie è molto richiesta: castra vitelli, cavalli, maiali, tori, gatti, zanzare, e tutto quello che le capita a tiro. Io non ho niente contro di lei, d'altronde da quando hanno chiuso i manicomi questa povera gente si è dovuta arrangiare, solo che mi sembra la persona meno adatta a occuparsi di Orty, tutto qui.

Una volta, mia sorella ha talmente insistito, che è riuscita a trascinarmi a un congresso di questi psicanalisti. Manola, una fame di fagiana come in quella stanza non l'ho vista mai! Appena sono entrata si sono girati tutti con certe facce da lupi, e la bava alla bocca. E dire che di proposito m'ero vestita casta – niente giarrettiere, solo autoreggenti – per non dare troppo nell'occhio. Intanto, due scemi dietro l'acqua minerale, stavano facendo un discorso assurdo: parlavano di un bambino interiore, violato, smarrito. Preoccupatissima, ho cominciato a chiedere in giro: «Ma chi è questa povera creatura? Se non si trova, chiamate la polizia, no?!».

Poi ho capito che era solo una scusa, farfugliavano a vanvera in attesa del rinfresco con rustici e mignon, dove si sono abbuffati come maiali. Ortensia ha voluto a tutti i costi presentarmi Lucianella, ci teneva tanto, poverina, per questo c'ero andata. Le aveva parlato un sacco di me, in tutte quelle sedute, lo sapevo. "Chissà quante cose carine avrà detto..." ho pensato. Per l'occasione, l'avevo aiutata a prepararsi, le avevo piazzato un bel fioccone in testa. Devo ammettere che da quando si decolora i peli è più presentabile. Insomma, è mia sorella, il mio batuffolo di pelo, e guai a chi me la tocca. Allora ho fatto un po' la gentile con Lucianella. «Salve!» ho detto. «Cosa c'è di buono nel tramezzino?» La cinghiala, con il baffo della maionese sul labbro, ha sibilato furibonda: «Carciofini, carciofini, carciofini!» e mi ha piantato addosso due occhi rossi di livore, come se avesse visto il demonio. Ho fatto un salto all'indietro. Un fiato da sarcofago aveva, Manola! «E che ti sei inghiottita, Tutankhamone morto?»

Ortensia sostiene che Lucianella parla poco, che gli psicanalisti prevalentemente ascoltano. Per fortuna. Io, comunque, Manola, dai freudiani che avevo intorno non mi sarei fatta togliere neanche un callo. Diciamoci la verità, sono i più cattivi. Lui, il capostipite, aveva quel problemino alla mascella, la malattia incattivisce, sa? Poi brutti! Brutto lui, brutta la moglie, brutta Anna, la figlia, una famiglia di bruttoni! Io diffido sempre delle persone così, da qualche parte, di sicuro, rosicchiano malamente. Il vecchio, per i suoi lavorucci da spazzacamino, ipnotizzava i pazienti, come quei fachiristi televisivi che lasciano le casalinghe con le mani accartocciate un'intera domenica. Inoltre – è voce di popolo – annasava regolarmente cocaina, e di conseguenza diceva un mucchio di panzane, tipo che le donne sono delle menomate, e che – ascolti questa, Manola – hanno invidia del pene!

Fortunatamente, sembra che i freudiani non abbiano vita lunga: stanno già con un piede nella fossa. L'ho capito più tardi, facendo due chiacchiere in giro con lo spumantino in mano, che erano tutti incarogniti perché sui loro lettini non transita più nessuno. Tra poco chiudono baracca e burattini, avvoltolano il materasso e se ne tornano a casuccia.

Non mi sembra una gran perdita, Manola, e in fin dei conti una secolata se la sono fatta. Scavano troppo, sfiancano. Oggi come oggi, andiamo tutti di fretta, non c'è più il tempo per questi lavori d'archeologia. Io, per quello che mi riguarda, questa ossessione del passato non l'ho mai capita, i musei mi fanno schifo. Ortensia dice che sono una incolta e mi tocca stare zitta. Comunque, c'è tanta gente che la pensa come me, non creda. Pare che vadano meglio certi nuovi psicanalisti "Pit-Stop", che, invece di ingolfarti, ti danno qualche consiglio di sopravvivenza e ti rimandano a casa. «Vai da questi nuovi, allora» ho detto a Orty, «hai provato tutto, prova anche questi, non si sa mai...»

Non l'avessi mai fatto, Manola! Orty mi ha preso alla lettera. Di soppiatto da Lucianella, si è iscritta a un sedicente corso psicogestuale: sedute di gruppo con tutta gente strana, in uno stanzone chiuso. Stanno fermi in circolo, poi all'improvviso uno si alza e, di punto in bianco, prende e riempie di botte un altro, perché dice che gli ricorda il padre, la madre, una sorella carogna, qualcuno. Ortensia esce dallo stanzone sempre gonfia come una zampogna: scelgono solo lei! Ho chiamato Grogo e gli ho detto: «Adesso tu, che sei il suo amico di piume, vai da quei pazzi, la prendi e la riporti in albergo». Grogo, che in certi momenti è davvero apprezzabile, ha cominciato con una visitina al guru di questi psicogestuali. Lo ha attaccato al muro, ha alzato gli artigli e temo che glieli abbia infilzati addosso senza troppa cautela. Ortensia è stata espulsa dal corso. Troppo tardi, Manola. Ormai quella masochista di mia sorella ci ha preso gusto.

Stamattina m'è venuta davanti con il moccolone stravolto: «Dillo che sono un mostro!».

«Ma no, Orty, sei molto particolare, sei un tipino, sei...»

Lei continuava a guardarmi come un'invasata: «No, ipocritaccia con i boccoli a cannolo, voglio la verità! Voglio sentire quello che pensi veramente di me. Ti prego, dimmi: merdaccia di dromedario!».

Ho tentato di dissuaderla: «Ortensia, ho visto di peggio...».

«Allora dimmi: Recchia di lepre, Pustola di fiele, Zerbinaccia, Muschiona, Sorbona, tira fuori tutto il fiele, tutto il livore che hai dentro. Liberati! Dimmi: Belfagor.»

Manola, non mi dava tregua, m'inseguiva per tutto l'albergo con l'estintore in mano. Ho dovuto farla contenta. «Mostro» ho sussurrato, «mostro...»

E lei, con la faccina rasserenata: «Bravina, grazie... ti prego, insisti...».

Visti i miglioramenti, ho preso coraggio: «Alope-
ciona! Chiorbona! Tu m'intossichi la vita, mi fai assolutamente schifo!».

Ortensia ha cominciato a baciarmi, s'è buttata in
ginocchio, rotolandosi di piacere: «Ti prego, pic-
chiami, visto che ti faccio tanto ribrezzo. Corcami,
scuoiami, aboliscimi, cancellami...».

Ebbene, non ci ho visto più, le ho dato il suo. In
una parola: l'ho massacrata.

Manola, ho seguito tutti i suoi consigli, ho sparso
manciate di verus salus ovunque, ho ricaricato i cri-
stalli nella luce meridiana, ho nascosto la mandrago-
la sotto il cuscino di Orty con il nodo-testa rivolto
verso l'alto, ma niente, risultati non se ne vedono.
Lei mi deve aiutare con più criterio. Per esempio,
sono convinta che se mia sorella trovasse un uomo,
la sua vita cambierebbe, e di conseguenza anche la
mia. Io so che non va bene sentirsi la pancia vuota
troppo a lungo.

Ortensia

Grazie, Manola. L'incantesimo della luna d'argento ha funzionato. Sì, sono leggermente malridotta, ma non è niente, un piccolo incidente terapeutico. Le ferite della carne sono irrisorie e spesso confortanti. D'accordo, ho l'osso del collo fratturato. Ma si rimetterà a posto, e anche se ciò non dovesse accadere, poco male. Non ho mai provato grande simpatia nei confronti di questo tubo che unisce la testa al resto del corpo, un service inutile, per quanto mi riguarda. E poi, le dirò, che sul nero il collare bianco dona. Aggiunge alla persona quel tocco ecclesiale che non guasta mai.

Manola, mi ascolti. È accaduto qualcosa di straordinario. Lucianella, come d'abitudine, mi assegna compiti da svolgere per conto mio; questa settimana mi ha imposto di calarmi in una situazione da attacco fobico, asserendo che devo familiarizzare con la paura, per disattivarla. Mi sono subito impegnata nella ricerca di un luogo che mi aiutasse olfattivamente a rivivere alcune esperienze traumatiche per consentirmi una decorosa abreazione. Così sono uscita di buonora e mi sono diretta a passo spedito verso la rosticceria.

Le lascio immaginare l'impatto della mia costumata persona con la variegata umanità stipata in quell'ambito di untume e calura; ma essendo estremamente motivata, inghiotto, a uno a uno, con altera dignità, i conati che dalla crosta villosa dello stomaco mi saltabeccano in gola. Apro il libro che ho portato con me – un piccolo trattato sulla personalità simbiotica – e mi metto in fila. Non è facile concentrarsi, mentre l'integrità della lettura è costantemente minacciata da tranci di pasta lievitata, affardellati da sugone e wurstel, che viaggiano per l'etere.

È quasi giunto il mio turno quando m'avvedo di uno strano fenomeno: le righe d'inchiostro sulla pagina si stanno fondendo in un unico bagno acido, non del tutto inodore. Cercando la sorgente, scopro che si tratta di un pregnante acquitrino, sito nell'incavo ascellare vagamente rancido della mia vicina, che sta tentando di farsi largo. Io non ho nulla di personale contro le matrone da portierato, sicché lascio all'affannato casalingone acrilicato l'agio di passarmi avanti, e poco importa se, appresso a lei, due splendidi ragazzi di colore mi travolgono, attratti dalla teglia di rustica col codino d'abbacchio.

Comunque, non posso permettermi alcuna tattica di avanzamento: due carrarmati hanno preso d'assedio le mie ossute estremità. Allungo timida lo sguardo per dare un volto all'imperioso peso bellico. Sorvolo lesta due zampe di nappa nera confluenti in un inguine raccolto in conchiglia d'acciaio spunzonata, e arrivo su un cereo muso, arpionato da molteplici spille da balia, incastonato in un capino terrazzato da rasature ornamentali culminanti in un'unica cresta moicana color pistacchio. Mi basta quel fuggevole sguardo per capire che non è il caso di ribellarsi all'invasione, anche perché cresta-pistacchiona necessita della mia catapulta pedestre, per involarsi sull'ultimo calzone salsiccia-gorgonzola. Durante il famelico volo trova, però, il tempo per afferrare il mio libro, e al grido di: «Che leggi, racchiona...» scaraventarlo oltre il bancone proprio sulla teglia della bianca, dove la mia attenzione viene attirata da un solitario rettangolino di pizza secca – con qualche problema d'identità – che sembra aspettarmi.

Con il mio pezzetto di bianca, e tutta la problematica sessuale che ne consegue, vado a sedermi accanto al distributore delle bibite. Adesso devo solo mangiare, devo mordere sistematicamente senza pensare alle conseguenze, se voglio tornare trionfante da Lucianella. Chiudo gli occhi, spalanco la bocca, ma sento che un'opprimente volontà spinge sulla mia dilatazione faucale. Riapro gli occhi e, con gioia, realizzo che non si tratta d'una reazione inibitoria messa in atto dal mio dinamicissimo inconscio, ma dell'agguerrita buzza della matrona da portierato, che solo adesso, attraverso il paralizzante contatto orale, m'accorgo essere in dolce attesa. La sarò-mamma divora un supplì, e intanto, con identica voracità, attraverso l'abitino sintetico si gratta il vello pubico, dove sembra custodire qualche piccolo fastidio legato alla sua condizione di fattrice. Decido di alzarmi per lasciarle il posto, ma non è facile perché intanto sulla panca sono stata raggiunta dai neri che, a gomiti spiegati, stanno dando fondo alla rustica col codino d'abbacchio.

Non devo lasciarmi turbare. Sorrido, mentre tento di evadere da quella articolata prigionia, e, alla fine, grazie alla mia positività, riesco a venirne fuori. Ce la sto facendo. La sarò-mamma sprofonda sul sedile e grugnisce: «Volevo vedere se non ti alzavi, cafona! Io sono pregna, e c'è sempre il caso che da un momento all'altro mi sgarro sotto...».

«Ci mancherebbe altro, signora» sussurro.

Lucianella non sarà per niente soddisfatta: sto inibendo i miei moti pulsionali, non è per questo che sono qui. Mi concentro e cerco la limpida voce del mio Es. «Mi scusi, pregna, ci sono tutti questi bei giovanottoni di colore, poteva alzarsi uno di loro...»

Ma la sarò-mamma non è d'accordo con il mio Es. «Questi lavorano, mandano avanti il paese, si devono riposare. Tu invece che fai, brutta cornacchia? Mangi pizza a tradimento.»

Vorrei ribattere ma sto perdendo forza. Non sono ancora pronta per questi esperimenti. Tornerò a capo chino da Lucianella. Per consolarci giocheremo a Monopoli, e poco importa se mi aggiudicherò solo Vicolo Corto e Vicolo Stretto, almeno lì, in grotta, mi sentirò a casa. Muovo il primo passo verso l'uscita, ma vengo intercettata sulla nuca dalla calzatura bellica di cresta-pistacchiona che, non avendo gradito il contenuto della lattina appena scolata, si sta accanendo contro il distributore delle bibite per fargli risputare fuori il gettone.

Probabilmente sono stata io a cercarlo, quel colpo, Manola, ne avevo bisogno, un bisogno senza dubbio indotto dal mio io inferiore, ma il dolore fisico per me è fonte di salute, mi allontana dall'affanno dell'anima. In qualche maniera mi risarcisce. Come vede, sono già un passo avanti: non mi ribello più, prendo atto, verifico, analizzo, e sorrido. Sì, sorrido.

Quel calcione cingolato sulla cervice è stato un

dono divino. Ero lì in terra, Manola, nella segatura, con il mio trancetto di pizza scampato nella mano, e l'ho visto, il mio principe, isolato tra le nebbie gastronomiche, che leggeva avvolto dentro una coperta spirituale. Il mondo intorno è scomparso, inghiottito nel suo nulla refettoriale, mentre avanzavo verso di lui; i fotogrammi della mia pellicola vitae hanno cominciato a dilatarsi, abbagliati da quella luce. E così sono entrata nel ralenti.

Occhiali e labbra spessi, modello Sartre, una radezza di capelli, la forfora sul pullover, quel quid che lascia prevedere una magnifica calvizie. Ora riconosco il libro. Sta leggendo *L'interpretazione dei sogni*. Tendo una mano verso il mio sogno e distrattamente lascio cadere il pezzetto di bianca sul sogno di Irma. Lui solleva dalla pagina due occhi dardeggianti, e la afferra esclamando: «Pizzaccia inciafroccona, mi hai unto il Freud e adesso mi ti sgargarozzo seduta stante!». Con formidabile vigore, inghiotte in un solo boccone la bianca e tutta la sua problematica sessuale, liberandomi di quel supplizio. "È lui!" penso. "È l'uomo della mia vita...", e senza dinamiche deviazionali mi immetto nella sua bocca già densa di peperoni e acciughe. Ci slinguazziamo, Manola, non ci crederà, ma è così: io, Ortensiuccia, slinguazzo! La mia vita ha avuto un senso, se mi ha condotto fin qui!

Lui mi chiede dell'altro, e io in un batter d'occhio fendo la ressa, scavalcando la buzza del casalingone acrilicato che adesso viaggia, supportata dalle spalle dei neri, in processione sulle teste dei rosticciani astanti, gridando: «Largo! Largo, che mi sono sgarrata sotto! E io i figli li cago, non sono tipa da cesareo, io! Voglio un altro supplì!».

Giunta al bancone, sfodero un impeccabile cinismo, ignoro l'urlo lancinante della madonna gravida, e mi accaparro tutti i supplì rimasti. Poi torno dal mio lui porgendogli, vittoriosa, quella cartata di frittura. È stato, così, Manola, che ci siamo messi a parlare, e non abbiamo più smesso.

Poldo mi ha confidato che da mesi mi aspettava in rosticceria: sapeva che doveva incontrarmi. Eravamo predestinati l'uno all'altro: lo abbiamo capito subito, senza possibilità di scampo. È incredibile, Manola, come le cose importanti si rivelino da sole, precise nella loro ineluttabilità. Poldo ha una fame preistorica. Naturalmente non è volgare appetito, il suo. Lui rincorre un senso altro di pienezza, una compensazione per gli innumerevoli problemi di ordine psichico che lo arricchiscono. Come me, ha accumulato molte delusioni, sente vivo nelle sue budella il vuoto generato dall'indegna associazione tra abbondanza materiale e pochezza spirituale, che caratterizza questo fine millennio.

In famiglia nessuno s'è occupato di questo ragazzo così speciale. Baby Poldo ha avuto un rapporto difficile con la madre, Helmutta, una tedesca, acquirente compulsiva, con varianti cleptomaniacali di derivazione slava. Si occupava del figlio solo in maniera esteriore, arida. Usciva per i suoi raid spendaccioni, lasciandosi alle spalle un gigantesco lucchetto infisso sulla maniglia del frigorifero. Mi viene da piangere, pensando al mio amore – solo e affamato – di fronte a quella gelida anta sbarrata.

A livello inconscio, Poldo ha identificato la madre con il cibo, simbolo dei valori materiali di cui lei è portatrice. Costantemente, supplì dopo supplì, lui ingoia il cibo-madre. Non creda che sia facile, Manola, passare tutta la vita a nutrirsi, introiettando quell'oggetto-soggetto, che, dopo la prima sensazione di pienezza, arreca solo sofferenza. Il mio Poldo è molto aggravato, ha diversi chili di troppo, aritmie cardiache, erosioni dentarie, lacerazioni esofagee, ernie iatali, qualche trombosi, e una considerevole alitosi. Per me, la sua bocca è un giardino di delizie.

La sofferenza ha sviluppato in lui una portentosa vena creativa. Sì, Manola, Poldo è un poeta, e io mi proporrò come umile musa. La sua ombra sarà il mio posto al sole. È un uomo di pensiero a tutto tondo. Adesso, per esempio, sta lavorando a un saggio contro la semantica della mezza porzione, e a un pamphlet su Gargantua. Lui aderisce alla scuola di pensiero secondo la quale l'uomo, un tempo, era un gigante, e le sue dimensioni si sarebbero successivamente ridotte come conseguenza della progressiva decadenza spirituale.

Manola, non pensi, però, che il mio amore sia un intellettuale algido, ibernato nel gaudio cerebrale. No, Poldo è innanzitutto una persona con un suo odore carnale. Fin dalle prime zaffate di contatto, ho intuito in lui una radicata inclinazione talassofobica. La sua cristallina intelligenza lo conduce a essere un indefesso polemista; è più che naturale, quindi, che abbia stabilito con l'elemento acqua un rapporto conflittuale. Poldo sostiene che oggi il mondo è percorso da un unico odore stomachevole. Perciò lui ha coraggiosamente deciso di trattenere il suo afrore originario, e di non diluirlo mai con sciacquettamenti e abluzioni. Lo ammetto, l'impatto iniziale non è stato facilissimo; mi sono scoperta piuttosto conformista nell'uso compulsivo dei germicidi, dell'idraulico liquido e di tutto il mio corollario dermoabrasivo. Ma ho subito compreso quanto il suo atteggiamento sia rigoroso e rivoluzionario, e, seppure lentamente, sto superando ogni difficoltà.

Il nostro è un rapporto totalizzante, oserei dire simbiotico. Siamo assolutamente speculari, io così acciughina, lui così ampio. Manola, a lei posso dirlo: nutro l'intrepida speranza d'aver trovato la mia metà recisa. È bello avere accanto qualcuno che ti protegge, che ti ascolta; per me, è una sensazione assolutamente sconosciuta, strabiliante. Passiamo delle serate intensissime, estremamente dialogiche, io con il mio thermos di fucus, lui con le sue oceaniche cartate di frittura. Ci basta poco, siamo due semplici, entrambi amiamo l'essenza, l'intensità raccolta nelle cose umili.

Topograficamente lui è molto più avanti di me, si spinge in luoghi forastici, la festa della porchetta in sfoglia di lardo, la sagra del sanguinaccio equino, la tana della salsiccia di rognone, il tunnel dello squacquerone in polenta. Io monto sulle nari una mollettina smorza effluvi e lo accompagno. A lui piacciono queste mie reticenze olfattive, le trova molto femminili.

Anemone

Manola, aiuto! Temo d'aver sbagliato qualcosa nell'incantesimo delle sette forcine: Ortensia s'è fidanzata. Sono assolutamente disperata.

Lui si chiama Poldo. Non ho mai visto niente di simile. Lui è la "Cosa", un oggetto molle e immondo, che si spande ovunque. Sono letteralmente sgomenta. No, non credo che sia di questa terra; credo, piuttosto, che sia stato espulso in corsa da un disco volante, in transito nella nostra atmosfera. Poldo è il classico abominio che neanche gli ET vogliono tenersi.

Non so come spiegarle. Ha presente trecentocinquanta chili di trippa fetida montati su centoquaranta centimetri d'altezza? Sempre gli stessi jeans incatramati di grasso corporale, quattro peli spalmati di sugna, forfora a squame, fungaia sui denti, muschio gengivale, tuberoni nasali. Un tanfo da non potergli stare nemmeno a dieci metri di distanza, non so esattamente di cosa: un miscuglio tra carcassa in putrefazione, latrina pubblica, caccola infradito di piede, e ano. Certe scorregge a tamburo battente... Il tutto portato con una sicumera da computer.

Ma io, Manola, quello che penso di lui glielo dico in faccia. Non glielo mando certo a dire ciberneticamente!

«Datti una scozzonata» gli dico, «invece di rava-narti il naso sui cd rom!»

Certi rampicanti si cava dalle narici! Ah, ma io conservo tutto, voglio portare tutto dagli ufologi, io!

Lui mi chiama "la sub-cretina", non mi rivolge mai direttamente la parola, mi parla solo attraverso Ortensia: «Di' a quella sub-cretina di tua sorella che il suo modo fastidente e beota di interloquire non costituisce alcuno stimolo alla mia volontà di relazio-narmi...».

«Taglia corto, budellone di un ET, non mi incanti! Dimmi piuttosto dov'è finito il pongo che avevo nel cassetto...»

Mangia tutto, Manola, macina tutto! Ortensia mi ha spiegato che il trippone si vorrebbe mangiare la madre, ma siccome non può s'innervosisce e deve ruminare giorno e notte.

Non farebbe un soldo di danno a papparsela, Hel-mutta, quella gazza ladra carica di brillocchi. Lavora in un circo, fa il numero dei capelli. Orty l'ha invita-ta a pranzo. È arrivata con Poldo al guinzaglio, e un'iguana sciolta. Manola, le sembra normale tenere il figlio a catena e il rettile lacertile a piede libero?

Poldo stava sempre a scodinzolarle dietro: mutter di qua, mutter di là. Dopo pranzo, lei si è tolta le scarpe e lui le ha massaggiato i piedi con il marsala. Lo tenevo d'occhio, ogni tanto spalancava la bocca, e digrignava i denti. Una paura! L'iguanuccia, intan-to, cercava di aprirsi un varco nel cuore del povero Grogo che, da quando Orty s'è fidanzata, è caduto in depressione. Rifiuta persino l'*apple pie* con i chio-di di garofano, il suo dolce preferito.

Io l'ho osservata bene, Helmutta. Anche lei mi

convince poco. Ha una faccia di gomma, tutta circumnavigata da graffette. Orty dice che l'hanno dovuta ricucire con punti pesanti, perché al circo, durante il numero dei capelli, si strappava spesso. Io, invece, dico che l'ha azzannata il figlio. Comunque, sotto pelle, quella è tutta di lamiera: mi puzza tanto di venusiana sloggiata. Se n'è andata con due candelabri d'argento infilati nei lobi; volevo farmeli ridare, ci servono per quando Orty ha gli accumuli energetici e manda in black-out l'albergo, ma mia sorella non vuole che io le guasti i rapporti con la suocera.

Manola, io sono più preoccupata di prima. Orty non ha mai frequentato nessuno, non sa nemmeno distinguere gli esseri umani dalle bestie; se incontrava un pitone, molto probabilmente mi portava in albergo quello. Lei, poverella, dice di avere una complicità intellettuale con il trippone: ma quale complicità, la "Cosa" pensa solo ad abbuffarsi! Lei chiacchiera, chiacchiera, e lui mica l'ascolta. Sta sempre all'erta per acchiapparsi qualcosa da mettere sotto la fungaia dei denti. Pure le mosche al volo con la bocca acchiappa: non c'è più una mosca in albergo, le ha ingoiate tutte.

E spesso lo trovo che guarda Ortensia con certi occhi strani. Ho paura che l'antropofago, un giorno o l'altro, l'azzanna. Anche se, per fortuna, Orty non è da acquolina in bocca, è tutta ossa e buccia pelosa. Ma ho paura lo stesso: potrebbe farci il brodo...

Ortensia

Manola, ha per caso qualche rimedio contro l'aerofagia? Il mio amore ha gli intestini terribilmente intasati.

Fa presto quella riduttiva di Anemone a dire: «Sono i bomboloni, la trippa, gli zamponi, le cotiche, il pongo». Magari si trattasse d'un banale problema gastrointestinale! Purtroppo non è così semplice. Poldo si gonfia, perché sente dentro di sé, nel profondo, la desertificazione del mondo, la siccità di ideali.

Per fortuna, il buddismo gli sta dando una mano. Ha superato momentaneamente la fase talassofobica e si è trasformato in un acquanauta. Deve risalire le correnti della vita per raggiungere la sorgente, e riscoprire la propria origine sacra, il divino interiore. Lei sa, Manola, che tutte le tecniche idroterapiche hanno un effetto depurativo sulla psiche. Poldo vorrebbe andare a bagnarsi sulle rive del Gange, ma siccome io con la mia acrofobia non posso prendere l'aereo, ha ripiegato su fiumi locali. Si denuda completamente, e s'immerge, per purificarsi dalle scorie dell'occidente con il Basti: un rito yoga acquatico. Si tratta di uno speciale lavaggio dell'intestino: grazie a uno scrupoloso uso della muscolatura del perineo, il mio amore riesce ad aspirare l'acqua nel corpo attraverso l'orifizio anale.

Mi piace molto guardare il mio uomo che si bagna tra le felci. Io resto sulla riva a prendere il sole e a correggere le bozze dei suoi saggi. Poi Poldo torna da me gocciolante, comincia a baciarmi il collo, e io sento le gocce che dalle sue labbra scivolano lungo la mia schiena... è una sensazione bellissima. Non posso andare oltre nel racconto, Manola, mi perdoni. Credo che il modo attraverso il quale una coppia interagisce sessualmente attenga strettamente alla sfera del privato. Comunque sono davvero soddisfatta. Con Poldo parliamo moltissimo. Per me nell'eros il dialogo è fondamentale.

Sono alla mia prima esperienza, e per chiunque l'iniziazione sessuale è un frangente piuttosto problematico. Poldo ha apprezzato la mia condizione di illibata, perché lui detesta il consumismo e schifa gli inguini in saldo. Si è avvicinato a me con estrema cautela. È stato delicatissimo: non me ne sono neppure accorta. Oh, lui è molto discreto. Come dimensioni, intendo. Il mio fidanzato ritiene il membro grosso terribilmente antiestetico, fuori dai canoni della bellezza classica, e decisamente di destra. Sì, la mazza robusta, virulenta, inclemente, ossianica è fondamento della cultura di destra. A sinistra, il membro subisce il dubbio, il peso di un'interpretazione più ampia e filosofica dell'esistenza; si flette, si rintana sotto la grandine dell'incertezza.

Poldo mi adora. Io sola conosco la posizione del grillo, che è il nostro modo di congiungerci. L'unico. Il grillo, naturalmente, sono io. Poldo si spande supino e io salto, salto, salto, come un grilletto! Lui si rilassa talmente che spesso si addormenta. È tutto così magico!

Certo, i rapporti sono abbastanza rapidi, io riesco a malapena a prenderne atto. Comunque, Manola, non sono affatto preoccupata. Al giorno d'oggi i rimedi ci sono, la scienza ha fatto passi da gigante in questo campo. L'andrologo non ci ha prescritto medicinali; invece, ha suggerito di far fronte alla situazione con una solida protesi peniena. Io so qual è il vero problema, Manola: Poldo ha sofferto di mancanza di autostima, colpa della madre tedesca, Helmutta, e, purtroppo, quando il maschio viene frustrato il testosterone cala a picco.

Io osservo molto il mio uomo. In un rapporto è importante non perdersi di vista. Ultimamente, ho notato che Poldo comincia a guardare in maniera languorosa certi accessori nel guardaroba di Anemone. Ne ho parlato con Lucianella: lei mi ha detto che è tutto a posto. Poldo ha un inconscio desiderio di travestirsi, così negherebbe la separazione dalla madre e metterebbe la sordina all'ansia abbandonica.

Ho anche notato la sua costante ricerca di piccoli oggetti per eccitarsi. Si tratta di una microscopica propensione feticista, le cui cause risalirebbero alla primissima infanzia, a un disturbo nella relazione madre-bambino. Quando Poldo era piccolo, Helmutta lo lasciava sempre solo, per correre notte e giorno a fare il suo shopping compulsivo, e Poldo si era attaccato in maniera morbosa a un piccolo oggetto transizionale. Ogni bambino ne ha uno, è come la coperta di Linus... Mi pare che, nel suo caso, fosse una scarpa.

Per carità, non si faccia idee sbagliate, Manola. Poldo detesta Anemone, il suo esibizionismo, la sua superficialità. Gli fa orrore tutta quella carne sbandierata ai quattro venti. Lui è un uomo ricercato, ama le cose nascoste, la pochezza... gli ossicini... i seni vuoti.

È gelosissimo di me, ed è contento che gli altri non s'accorgano della mia segreta bellezza, perché mi vuole tutta per sé. Lui sa quanto posso essere generosa nell'intimità. La donna concava, Manola, partecipa intensamente al piacere dell'uomo. La donna convessa, invece, esige molto senza dare nulla in cambio.

Mia sorella farebbe bene a coprirle, piuttosto che metterle in mostra, le sue straripanti curve. La verità, Manola, è che cerca a tutti i costi di farsi notare da Poldo. Non le va giù che il mio uomo abbia occhi solo per me. Si era abituata a vedermi confinata nello zitellaggio coatto e adesso teme che io, gemella minore, possa sposarmi prima di lei. D'altronde Any è bruciata, ha avuto relazioni sessuali con quasi tutti gli uomini della contea, per cercare un nuovo compagno da queste parti dovrebbe ripiegare su un animale. Ora, è già alla terza settimana di digiuno erotico: un record per lei. E vorrei farle vedere, Manola, con quale bramosia guarda il cognato, che si allena per il Basti nella fontana...

Io e Poldo contiamo di allontanarci dall'albergo quanto prima. Abbiamo raggiunto certe conclusioni e vorremmo parlarne in santa pace. Premesso che il richiamo sessuale è un vecchio trucco, messo in atto da madre natura per garantire la sopravvivenza della specie, noi riteniamo che, oggi come oggi, sia preferibile riprodursi per gemmazione come le amebe, o non riprodursi affatto. Così, io e il mio fidanzato, di comune accordo, abbiamo deciso di smetterla con l'eros reale. Trasferiremo la nostra immagine sul cd rom, per sperimentare vorticosi amplessi virtuali. Poldo intanto, con grande dignità, si è chiuso in un tenace onanismo solipsistico.

Anemone

Ortensia e Poldo sono stati dal sessuologo, perché pare che lui abbia l'ansia da prestazione. Ma a chi vuole darla a bere? L'unico parametro maschile di Ortensia è Grogo. Quali confronti vuole che faccia, poverina?!

Manola, al sesso tra quei due non ci posso neanche pensare. Non so proprio come faccia Ortensia a trovarglielo, il coso, al trippone, in mezzo a tutto quel lardo puzzolente. Sempre ammesso che ce l'abbia. A occhio nudo non si vede nulla. Lui dice che ha il "membro con sorpresa". Secondo me la vera sorpresa è che non ha il membro. Non so come la pensa lei, Manola, ma per me le dimensioni contano.

Adesso si è fatto buddista, l'ufo, dico. Gira con un camicione di garza a testicoli sciolti. Ha spiegato a Ortensia che esistono due tipi di buddisti: i mistici – quelli che non hanno fame, non hanno sete, hanno solo le traveggole – e quelli grossi come Budda. Poldo, ovviamente, fa parte della seconda categoria. Dice che va a meditare sui monti, ma intanto conosce l'itinerario di tutte le sagre di paese, e non se ne perde una. Si strafoga e poi va a scorreggiare sui ruscelli. Perché il buddista, dopo la meditazione, si deve pulire le budella. Allora s'accovaccia per benino, e tira su l'acqua da dietro. Manola, mio cognato si pulisce il culo a succhio!

Ieri notte è successa una cosa disgustosa. Non trovavo più le mie scarpe da sera violet, tacco trenta in plexiglas con bonsai incastonato. Cerca che ti ricerca, niente. Eppure ero sicura di averle lasciate nel freezer; io ci tengo molto a quelle scarpe e voglio conservarmele il più a lungo possibile. Comincio a pensare: "Vuoi vedere che il budellone extraterrestre s'è pappato anche le mie scarpe violet...".

Non riuscivo proprio a prendere sonno, ero così arrabbiata. Mi sono tirata su nel letto con la gola arsa, e sono scesa per andare in cucina a bere qualcosa. Passo davanti alla dispensa, e c'è la porta socchiusa. Nella penombra ho intravisto Ortensia tutta scarmigliata che carezzava le pagine pullulanti di deretani appestati dell'enciclopedia Buggioni, e intanto dondolava la testa. Mi ha preso un accidente. Quando Ortensia attacca con le stereotipie è brutto segno, Manola. Sbircio meglio e in fondo, attaccato al gancio del lardo, scopro Poldo, vestito da Luana la vergine sulla banana: il rossetto, le ciglia finte, un tripudio di accessori sadomaso, oltre a singolari varianti personali (tipo il pennello da barba di Orty, infilato nel sospensorio di rete). Era lì che che si masturbava come un forsennato. Con la mia scarpa violet...

Manola, così non può andare avanti. La mia vita era già abbastanza complicata. Ortensia è la mia gemella, siamo affiorate dallo stesso amplesso, ma con la "Cosa" io non voglio stabilire alcuna parentela. Manola, il budellone extraterrestre deve assolutamente sloggiare!

Sono rimasta tutta la notte sveglia nella hall a pensare e all'alba mi è venuta l'idea giusta. A colazione gli ho detto: «Ciao, bel budellone, sicché tu avresti il membro con sorpresa?». S'è fatto tutto rosso, di colpo ha smesso di parlare del Dalai Lama, di Trotzkij, di Sartre, di autostrade cibernetiche, mi è franato dentro le tette, gridando: «Fammele vedere! Fammele vedere!». Ho posto le mie condizioni, s'intende. Gli ho detto: «Calma, budellone. Vai al circo da tua madre, fatti una doccia con il detergente per gli elefanti, anzi fatti trenta docce con il detergente per gli elefanti, prendi lo spazzolone con il quale pulite le gabbie e grattati via la sugna, poi buttati nella vasca delle foche. Mi raccomando, non tralasciare niente, passati i denti con la fiamma ossidrica, scardina il muro dei tuberi, libera dai rampicanti il peloso foltame narico. Infine arriva deciso a quell'improbabile coso che hai tra le gambe, smascheralo, e affogalo nell'idraulico liquido dell'orangutan Ortensia... e forse stanotte sarò tua!».

È folle, Manola, lo so, ma devo farlo, devo smascherare il mutante. Ho trangugiato tutta la pozione afrodisiaca, ho bisogno di molto coraggio. Sarà una lotta all'ultimo round. D'altra parte, il letto è il mio ring, e sono certa che lo annienterò. Mi sento molto aggressiva. La mia clitoride è un pungiglione acuminato. C'è luna piena, i flussi femminili seguono i cicli lunari. Anche la luna è dalla mia parte. Stanotte incenerirò il fetido trippone venusiano...

Ortensia

Lo scorso week-end io e Poldo siamo stati a Parigi, in sidecar. Abbiamo visitato tutti i luoghi sacri dell'esistenzialismo. Ai Deux Magots ci siamo seduti al tavolo di Sartre e della de Beauvoir. È stato molto romantico. Poldo s'è subito immerso nella lettura di *L'essere e il nulla*, di Jean-Paul, mentre io mi sono tuffata a capofitto nelle pagine del *Secondo sesso*, di Simone. A un certo punto, Poldo mi ha accarezzato un braccino e ha sussurrato: «Mio piccolo castoro, noi siamo condannati a essere liberi» e io mi sono commossa.

Di ritorno dal viaggio, Poldo ha manifestato il desiderio di abbracciare ciecamente la filosofia della libertà di Jean-Paul. Vuole condividere tutto con Sartre, anche i tormenti privati da intellettuale illuminato, quella costante esigenza che il filosofo francese sentiva, di allargare i propri orizzonti affettivi. Il mio fidanzato ritiene che abbiamo vissuto troppo in simbiosi, e che adesso abbiamo l'obbligo di aprirci a nuove esperienze. Sente il bisogno di restare qualche giorno da solo per riflettere, perché – dice – insieme siamo pesanti e cerebrali, e lui, invece, ha voglia di levità. «Tu, castoro, sei una donna importante, ma io sono un creativo...» ha detto.

Ho sofferto, Manola. Ma, d'altra parte, Simone soffriva come me. Anche per il mio Jean-Pold non sarà facile. Sono preoccupata, Manola. Viviamo in un mondo massificato, le donne non hanno originalità nel gusto e restano sconcertate davanti alla mole del mio fidanzato... poi c'è il problema delle esalazioni corporali. Gli ho consigliato di smetterla con i riti acquatici nei fiumi, e di farsi qualche doccia autentica, con tanto di sapone e spugna. Poldo si è tenacemente rifiutato. Ha detto: «O *nature* o nulla». Pensi il rigore, la coerenza, di quest'uomo, Manola! Ritiene che tutte le femmine sono fatalmente attratte da lui, ma siccome temono la loro parte più istintuale, lo rifuggono.

Ma oggi a mezzoggiorno, con uno strano sguardo, Poldo mi ha chiesto se potevo prestargli una decina di flaconi del mio idraulico liquido... e stanotte, per la prima volta da quando ci siamo fidanzati, non ha dormito con me.

È stata una notte agghiacciante, terribilmente movimentata. I miei nervi erano così sgusciati che hanno cominciato a saltare come molle impazzite, spingendomi a zonzo in tutte le direzioni. Allora ho trascorso il resto del mio sonno appesa al lampadario maestro nella sala dei banchetti. Lì ho sognato che sotto le piante dei miei piedi si muoveva un mare cupo e sinistro, dalle cui acque affioravano orde di pesci gatto morti, un tappeto di corpi. Mi stringevo alle gocce di cristallo del lampadario, terrorizzata di precipitare nella putrefazione marina sottostante, unica creatura viva in quell'immensa laguna di morte. Lei, senza dubbio, sa che i pesci gatto morti sono presagio di orribili cataclismi.

Ho paura, Manola. Vorrei che il sole sorgesse in fretta, perché sento che da qualche parte nel mondo sta accadendo qualcosa di orribile... e non dev'essere neppure un luogo troppo distante da qui. Lo sento sulle mie membra. La pellancica tira, come se qualcosa dentro di me premesse per uscire. È la mia energia che vibra, Manola. Sentieri fluorescenti si diffondono, e mi percorrono rompendo il muro gelatinoso di ogni mia cellula. Devo fare un acting di bioenergetica, un grounding, per liberare le mie energie, e tentare di rimanere ancorata alla terra. Manola, mi aiuti: non voglio saltare in aria.

Forse ci sarà una guerra: l'ultima. L'apocalisse è stata annunciata da tempo, e il passaggio all'età dell'oro, è noto, avverrà con la violenza. C'è violenza in giro, c'è l'odore di corpi aggrovigliati. Qualcosa di terribile sta accadendo. Manola, li sente i tuoni? In alto, c'è un Dio che si ribella. Solo a un coagulo di puri sarà concessa l'eternità. Io sarò tra quelli. Se esiste una giustizia lassù, in questo cielo di tenebre, io sarò tra i superstiti.

Se almeno Anemone fosse qui con me, invece quella maiala è andata in discoteca. Dovrò fronteggiare da sola i nemici. Manola, piove a dirotto e ho tanta paura. Io invoco il grande spirito! Crescete unghie, crescete peli, crescete zanne! C'è luna piena, sento una diffusa licantropia calare sulle mie membra e nel mio spirito. Mi affiderò al mio pelo maestro, e in marcia, a passo marziale, entrerò nel tempo del sogno, dove tutto è già accaduto, dove tutto deve ancora accadere. Ho bisogno di un Rolfing, di un massaggio profondo. Manola, mi sferri un cazzotto ne. La imploro, mi colpisca seduta stante. Devo tir·

re fuori la mia vera voce, il mio vero Sé. Devo gridar-
lo a tutto il mondo lungo questo buio mare: «Sono
sola come un cane, e voglio una mamma. Voglio anch'io una mamma...».

Anemone

Le ho portato la bomboniera, Manola. Sì, mi sono sposata. Non so dirle con precisione cosa sia accaduto, ma è certo che mi sono sentita letteralmente trascinare fuori da me stessa dal tifone Poldo.

Dica la verità, nemmeno lei con la sua palla di cristallo, il pendolo, i fumenti allucinogeni, sarebbe riuscita a prevedere un evento simile. La vita è letteralmente meravigliosa, cioè stupefacente. Tutto si è compiuto in una notte: la notte d'amore più sensazionale che abbia mai vissuto. Io e Poldy ci siamo messi a nudo, l'ostilità che nutrivamo l'uno nei confronti dell'altra nasceva solo dal timore, perché il nostro incontro era già scritto lassù negli astri. Non si può lottare contro il destino, è una lotta impari. L'amore è una forza misteriosa, un'insurrezione dei sensi, che ti trascina in alto insieme alla persona che ami, dentro una mongolfiera di solluccheri, e poco importa se ti ritrovi costretto a lasciare a terra qualche vittima pelosa.

Io e mio marito aderiamo perfettamente, lui è la mia metà mancante. Prima di conoscerlo in senso biblico non sospettavo di essere così mutilata. Poldo voleva sposarmi sott'acqua, aveva chiesto alla Polpessa Giacomessa, collega circense di Helmutta, di celebrare il rito. Gli ho detto: «Portami dove vuoi tu: nell'acqua, nel deserto, in un vulcano, sul gasometro. Ti seguirò fino in capo al mondo». Purtroppo, durante la prova generale, Poldo ha avuto un'embolia, così siamo risaliti e ci siamo sposati in chiesa. Lo confesso, mi ha fatto piacere. Perché – vede, Manola – per una donna, anche la più trasgressiva, l'abito da sposa è un sogno bianco riposto in un cassetto a forma di cuore. Ho disegnato io stessa il modello del mio vestito: una cosina semplice, delicata, un sussurro, una citazione.

È stato un matrimonio estremamente tradizionale. Sono arrivata con sette ore di ritardo. Volevo che gli invitati fossero già tutti in chiesa, cianciacati e sudati, per fare il mio ingresso trionfale e stroncarli con il mio interminabile strascico. Poldy era lì in fondo, accanto all'altare, che mi aspettava con le stelline negli occhi, tutto profumato d'incenso. Pareva uno zampirone! Come sono entrata, l'organo ha attaccato a suonare la ola: "Alé-ooo! Alé-ooo!". Sentivo i bisbigli: «La sposa... La sposa... È arrivata la sposa...». C'erano proprio tutti, anche mamy e papy.

Sì, mi sembrava proprio di vederla, mamy, con la sua chioma lilla, i denti impiastricciati di rossetto, il tailleur albicocca-confettato con scarpe pendant albicocca-confettato. E, poi, i suoi consigli: «Any, tu sei la sposa, non te lo dimenticare mai: petto proteso, mento volitivo, sguardo fisso in avanti. Ho posizionato i parenti di tuo padre nei banchi a destra, sono ben identificabili per via di quella zotica grandine di lentiggini rosse che gli è precipitata sui musi, e se qualcuno di loro tenta di salutarti sbracciandosi con trombette e lingue di Menelik, tu fa' finta di non riconoscerli, sono una banda di pezzentoni...».

Papy sarebbe stato al mio fianco, in alta uniforme, con la fusciacca rossa da domatore di squali e le nacchere. Avrebbe fatto la danza Maori attorno all'altare. Sicuro che l'avrebbe fatta... "Tum! Tututum! Tutututututum!" Si sarebbero squagliati di lacrime i miei vecchi, Manola. Papy avrebbe cominciato a produrre fluviali quantità di quel suo mocciolo giallo sulla chioma lilla di mamy, che avrebbe perso almeno una delle sue due ciglia finte di puro armadillo. Allora avrebbero cominciato a litigare sonoramente. Mamy si sarebbe sfilata le sue scarpe albicocca-confettato, e avrebbe infisso almeno uno dei suoi due tacchi a stiletto in almeno uno dei due testicoli di papy, e nessuno più si sarebbe interessato a me e alla sbalorditiva estensione del mio strascico.

Ci ha sposato fra Starosta, un padre trotzkista. Al momento della comunione, Poldo era così agitato che ha azzannato non solo l'ostensorio, ma anche la mano di fra Starosta. Il padre trotzkista è rimasto imperturbato, ha tirato fuori dalla tonaca il kalashnikov e gli ha sparato. Fortunatamente i pallettoni non hanno intaccato la coriacea struttura del mio sposo, hanno colpito Ortensia, ma solo di rimbalzo. Lei, Pustolina di fiele, naturalmente non voleva venire.

A calci l'ho fatta uscire dall'albergo! «Non ti ci provare a rovinarmi il giorno più bello della vita, non ti ci provare...» le ho detto.

«Dovevo esserci io al tuo posto...» frignava.

«No, cocca, non è per colpa mia che Poldo ti ha silurata, fatti un esamino di coscienza. Marcia, Zerbinaccia...»

S'è vestita di bianco anche lei, con l'abito della prima comunione. Le va ancora a pennello. Era davvero

144

imbarazzante tutta veli e peli, sembrava una scimmia travestita da Edda Ciano. Mi ha detto che le damigelle d'onore si devono vestire di bianco come le spose. Le ho detto: «Fa' come meglio credi, io non posso più occuparmi di te, è finita la pacchia dell'aluccia gemellare». È andata di là, ed è tornata con l'uccello di nonna Refola in testa: «Ci pensa l'ala di nonnetta a proteggermi, lei mi voleva bene, ero la sua piccinin...».

«Marciare piccinin, marciare...» le ho detto, e le ho tirato appresso una caracca spettacolare.

Alla fine, è venuta tutta tremebonda, senza fare nemmeno un fischio. Ortensia bisogna trattarla male, per farla rigare nel verso giusto. Se invece sei dolce e la compatisci, ti scacazza in testa. L'ho capito troppo tardi...

Un fastidio avercela dietro le spalle, quella gufa! Ha cercato in ogni modo di farmi inciampare nello strascico. Manola, sono stufa di farmi intossicare la vita dalla mia dolente gemella. Adesso io ho un marito, ho dei doveri, devo pensare a me e a lui. Il resto è secondario.

Però la cerimonia è stata davvero romantica: lancio di risotto con ossobuco sul sagrato, foto ricordo sullo sfondo delle cascatelle secche, cordata d'automobili strombazzanti, ferme sotto il solleone per un incidente al dodicesimo chilometro della grande fettuccia. Poi gli sposi hanno salutato amici e parenti al Mangiatoione: trenta portate, torta grattacielo meringata, tre liti violente (una sola con ferite d'arma da taglio), un ictus glicemico, caffè, ammazzacaffè, un bambino caduto nello stagno delle oche (fortunatamente, loro tutte salve), sacchetti personali per gli avanzi. Bacio, bacio, bacio... Scorreggia portentosa degli amici ancora scapoli.

Ortensia

Manola, ho accompagnato Anemone all'altare, doveva farlo zio Dodo, il fratello non vedente di papy, ma lui alleva bacherozzi da combattimento e proprio quel giorno aveva le gare. Così è toccato a me. Non potevo tirarmi indietro: siamo due orfane.

È stato difficile rimanere per tutta la durata della funzione dietro gli sposi, Poldo era molto nervoso: ha liberato un mucchio di gas. "È la vita" mi sono detta, "e la vita non si può fermare..." Non puoi dire: "Scusa, vita, avrei dovuto esserci io, accanto allo splendido uomo in stiffelius, non quella villana sposona infagottata con trinoline, ciniglia, broccato, drappi, perlame, fiorami, e pelo-setino; falla inciampare nello strascicone, falle sbattere il grugno contro uno spigolo sacro e stroncala una volta per tutte!" No non puoi dirlo, sembreresti livorosa.

Però, non mi si venga a raccontare che la vita è giusta, Manola, perché non lo è. Devi restare con le mani giunte, raccogliere il visino nella beatitudine, gli occhi del Signore ti scrutano, sei nella sua casa benedetta: porgi l'altra guancia, sostieni lo strascicone di tua sorella, affogaci dentro, se necessario, affinché il cascame di balze velate sia bene in vista e fac-

cia meglio schiattare di invidia tutte le zitelle presenti, sei la damigella d'onore.

Non pensava a niente altro, quella miscredente, pensava solo allo strascicone. «La coda, la coda, gonfiami la coda! Soffia, soffia!» sbraitava. Manola, un'autentica vergogna, tutta quella inutile stoffa dietro, e sul davanti, dove ce ne sarebbe stato bisogno, nulla. I grossi seni di Any navigavano liberi sotto gli occhi del prete, nelle cui iridi vedevo riflesse le due perline a goccia infisse nei capezzoli, sempre basculanti, perché per tutta la funzione non ha fatto altro che ridere, quella luridona. Forse si era drogata. O per lo meno, tutti l'avranno pensato, senza neppure stupirsi troppo. D'altronde nonna Refola masticava sempre una cicca d'oppio, e suo padre Delfo era morfinomane.

In tutta la contea, non s'era mai vista una sposa più volgare e caciarona. Mi riesce davvero difficile comprendere come abbia fatto Poldo a lasciarsi circuire da un personaggetto simile. Non avrei mai creduto che la sua ingenuità, il suo altruismo arrivassero a tanto. Manola, temo che il suo desiderio di esperire personalmente il vuoto epocale lo stia spingendo verso lidi fortemente autolesionisti. Non sono ancora riuscita a parlare con lui, ma ho il terribile sospetto che la scelta anemonense sia strettamente correlata a questa voglia di punirsi. Povero amore! In chiesa non mi ha mai guardata, non ha trovato il coraggio di farlo. Io ero così elegante, così misurata, dentro il mio minuscolo abito di serico organzino, fin de siècle.

Ho messo su il cappello con il rapace, era di mia nonna. "Dio, quanto le somigli, Orty!" mi sono detta guardandomi nello specchio. È incredibile, Manola, come con il passare del tempo la faccia si accartoccia nella stessa identica maniera dei nostri vecchi. Fino a un certo punto credi di somigliare solo a te stessa, poi, un giorno, all'improvviso ti accorgi che non è così. Mi sono guardata una mano e ho visto la mano di nonna posata sulla mia fronte: «Piccinin hai la febbre, ora nonna ti prepara il vino caldo con il miele e i chiodi di garofano, piccinin...».

In chiesa, ho serrato gli occhi e ho immaginato che quello fosse il mio matrimonio, che l'organo suonasse solo per me e per Poldo, e ho cominciato a piangere sommessa. Le liturgie, i paramenti sacri mi commuovono, Manola, io ho un senso molto religioso delle cose. Mi commuovo anche davanti a una formica, io.

Mi hanno sparato. Sì, il prete doveva essere un cacciatore: ha mirato al mio rapace, mancandolo. Un rivolo di sangue mi è sceso dalla fronte, come a Gesù sulla croce. Eppure non ho fatto una piega, sono rimasta immota nella mia beatitudine. Se c'era bisogno d'una vittima sacrificale per concedere a tutti l'agio di un orgiastico baccanale, io, come sempre, ho fatto la mia parte.

Dopo la schioppettata, mi sono appisolata in una sorta di torpore. Allora l'uccello sbilenco che avevo sul capo ha cominciato a parlarmi. «Fica secca, perché Poldo ti ha lasciata in maniera così brutale?» ha chiesto. «Forse eri troppo ossessiva e soffocante, stavi sempre lì a chiedergli: "Mi ami? Mi ami? Mi ami?"» ha intignato.

«È vero, a me piaceva sentirmelo dire, non ci trovo niente di improprio» ho risposto con la sola volontà di tagliare corto.

Ma l'uccello era intenzionato a proseguire: «Testa di afanite! Non bisogna mai mostrarsi troppo dipendenti da un uomo...». Ha fatto una pausa abbastanza preoccupante e ha aggiunto: «Poi, scusa, perché insistere? Se ricordo bene, lui non te l'ha mai detto: ti amo?!».

«Sì, ma io sentivo che era così.» E adesso sentivo anche che stavo perdendo terreno.

«Faresti un gran bene a smetterla di sentire! Ortensia, tu non hai fiuto, la tua vita non è altro che una serie infinita di fallimenti. Sei stata piantata anche dallo scorreggione!»

«Non chiamarlo così, mi offendi. Tra di noi c'era una profonda intesa intellettuale.»

«Non basta, Ortensia, non basta. E non dirmi che non ti eri accorta che mentre tu parlavi lui faceva acchiappanza di mosche, moschini e zanzaracci.»

«Conoscevo i suoi bisogni.»

«Ortensia, il medico pietoso fa la piaga puzzolente.»

«Lasciami in pace, uccello.»

«Se non sbaglio, i rapporti sessuali si erano molto diradati...»

«Molto come?»

«Molto moltissimo. Come potevi pensare di cavartela tutta la vita con un'unica posizione? Quella del grillo, poi! Ammettilo: lui non ti ha mai penetrata.»

«Non è vero.»

«Lui penetrava le scarpe di tua sorella. Poldo ha un'autentica ossessione sessuale, e tu non sei certo il tipo da giarrettiere con inguinaglia scoperta...»

«Temo di no.»

«...Da varianti anali, orali, orecchiali, nasali, occhiali...»

«Non afferro...»

«Ma forse cucini benissimo...»

«Abbi uno spolverino di pietà!»

«Che io sappia, Ortensia, tu non sai fare neppure un uovo al tegamino.»

«Non parlarmi di uova. Se mia madre avesse avuto una produzione ovarica meno esuberante, la mia vita sarebbe stata un'altra, lo capisci?»

«Allora, come pensavi di tenertelo un uomo così?»

«Io veramente pensavo che gli interessasse la mia anima.»

«La tua che?»

«La mia anima...»

«Ortensia, non essere ridicola! L'anima è un'entità assolutamente desueta, in questo fine millennio.»

«Non è vero, si ricomincia a parlarne...»

«Ortensia, mi meraviglio di te. "Dove ha inizio la parola, ha inizio la menzogna" ricordi?»

«Il boss della scuola freudiana di Parigi...»

«Proprio lui. Quindi piantala, e cerca invece di tenere su lo strascicone di tua sorella. Si sta afflosciando!»

«Sì, lo strascicone...»

«Fica secca, vai con l'ablativo!»

«Mea culpa, mea culpa, mea maxima culpa...»

Anemone

Il matrimonio è un'invenzione assolutamente fantastica! Ero così stanca della mia vita randagiona. Per carità, non rinnego nulla del passato, però arriva il giorno, Manola, che hai solo voglia di accoccolarti sul sofà con il tuo amorone a divorare gianduiotti davanti al teleschermo, di lasciare appesi al chiodo i tuoi guantoni da bad girl. D'altronde, le piste delle discoteche straripano di quindicenni incredibilmente ingolfate di tatuaggi e di ormoni. A una certa età cominci a sentirti fuori luogo.

Poldo, dal canto suo, detesta la ressa appiccicaticcia e lo sfrego occasionale; lui ama i luoghi sgombri, circoscritti, così la sera restiamo a gozzovigliare in albergo.

Mio marito adora tutto di me, i miei ritardi, la mia borsa stracolma, il mio corpo. Lui è assolutamente in adorazione davanti al mio corpo. Mi lecca tutta, mi fa certi pastranucci di saliva da lasciarmi lessata. Il sesso tra noi è un delirio senza pause. Io non avevo idea di quali e quanti orgasmi potesse regalare l'uomo grasso alla donna. Poldo, poi, non è grasso frollo, budinoso. È grasso tosto, corpacciuto: una gigantesca maniglia dell'amore, un vero e proprio maniglione.

Lei, Manola, non immagina come sia stimolante l'odore di Poldo, nell'intimità. È così primordiale. Lo sa che l'androsterone, l'ormone che fa da richiamo alle femmine dei maiali (le maiale), è lo stesso che sta nel sudore dell'uomo? È un potente afrodisiaco. Poldo è completamente imbevuto di androsterone. Io usmo e svengo, usmo e svengo, rinvengo, riusmo e risvengo...

Mio marito ama farlo in cucina, pucciando le mani nel sugo, facendo scarpone nella teglia, divorando cosci di fagianella: un morsone al volatile, un morsetto a me. Io squittisco di piacere. Lui, essendo, un filologo, ha una sviluppatissima fantasia linguistica. Lo eccita il turpiloquio gastro-erotico: «Stenditi che salta il coniglio! Girati che striscia il capitone! Condisci la patata, che pascola l'abbacchio!».

Il guaio è che Ortensia sta sempre lì dietro la porta della cucina a origliare. A me fa terribilmente schifo l'idea che mia sorella origli i nostri amplessi! Peggio: si struscia contro la porta, ulula. Temo che si masturbi smodatamente. Per mio marito è molto imbarazzante. Manola, siamo due sposini e abbiamo diritto a un po' di privacy. Orty pretendeva di dormire nel letto con noi, sulla testiera. «Io mi posiziono lassù» ha detto, «tanto son piccina, e vi proteggo come un angioletto...» Una volta avrei ceduto alla sua richiesta, ma il matrimonio mi ha cambiata. Dopo un'intera vita di sopportazione, non riesco più a tollerarlo, quel musone affranto a spasso per l'albergo.

Adesso viaggia con la veletta nera in testa, il cero mortuario in una mano e il turibolo per l'incensata nell'altra. Dice che deve elaborare il lutto per la morte di Poldo. Lui ogni volta che la incontra si tocca, e siccome la incontra spesso, non ritengo giusto che mio marito debba trascorrere la vita con i testicoli in mano. Manola, credo che dovremo trovare una soluzione drastica per Orty. Pensavo di venderla ai giapponesi.

Ortensia

Ha letto la storia di quella casalinga cinquantenne che ha affogato i suoi quindici figli nelle rispettive tazze di latte e corn-flakes, perché si era follemente innamorata di un carrozziere diciannovenne, privo della seppure minima vocazione per la paternità di seconda mano? Io ammiro molto questo genere di persone estreme. Oggi viviamo solo di surrogati, sceneggiamo l'eros fasullo dei sondaggi giornalistici, non c'è nulla che assomigli ai grandi amori di una volta, a Paolo e Francesca, ad Abelardo ed Eloisa, a Diabolik ed Eva Kant. L'umanità teme la forza scardinante dell'amore. Sono tutti attaccati al loro oculato baricentro, come le patelle allo scoglio.

La mia natura generosa mi porta, ancora una volta, a diversificarmi dall'arida massa dei simulatori amorosi. Quando nasce un amore degno di questo nome, mi levo tanto di cappello. E poco importa se sul campo rimangono vittime innocenti, e ancor meno importa se questa vittima sono io. L'amore assoluto è come la psicanalisi: una guerra totale dell'individuo contro se stesso, un sentimento totalizzante che esclude tutti gli altri. Io mi sento terribilmente esclusa, un vecchio tampone assorbente, mi sento.

Temo però che Anemone stia esagerando, Manola. La piena amorosa le ha risucchiato ogni altra vena affettiva. Con me, è diventata di una ferocia disumana. Non dormiamo più nel lettone insieme. Mi ha costretta a traslocare definitivamente nel locale delle caldaie. La notte non mi succhia più l'alluce, e di giorno non sopporta non solo la mia presenza, ma anche tutto ciò che gliela ricorda. Non tollera le mie alghe, i miei germogli, i miei fermenti vivi, la madre dell'aceto; ha tolto i miei abiti dall'attaccapanni; mi ha spaccato il casco da palombaro. Ecco che, da un giorno all'altro, ho perso non solo il mio uomo, ma anche la mia gemella.

Anemone dice che un amore, all'inizio, va coltivato come un piccolo orto, va innaffiato. Perciò lei è sempre lì, davanti ai fornelli, a innaffiare con il moscato il rognone e la corata per suo marito. Dice che ha il dovere etico di proteggersi da me, perché Poldo ha sposato lei, e non è tenuto ad accollarsi anche il mio fosco corpicino. Se non mi mandano via subito, è solo perché – dice lei – sono comprensivi, e mi vogliono bene, ma, comunque, è meglio che cominci a guardarmi intorno per cercare un'altra sistemazione. Magari in un istituto, magari allo zoo.

Io le ho detto: «Scusa, Any, l'albergo è grande, non capisco proprio che fastidio vi do...». Mi ha risposto che ormai sono vecchia, e dovrei capirlo da sola che una coppia, nei primi tempi, vuole sentirsi del tutto libera, perché il desiderio può scattare in qualunque momento, e in qualunque luogo. Dice che li spio. Tutte calunnie, Manola. Io ormai vivo murata nel mio scatolo. Sfoglio con le lacrime agli occhi l'enciclopedia Buggioni e di tanto in tanto, per tenermi compagnia, mi onanizzo.

Certo, non è colpa mia se la sera sono costretta a fare un saltino fuori, per controllare se il gas è chiuso. Manola, sta andando tutto a scatafascio. In albergo l'unica persona ancora con la testa sulle spalle sono io. Gli sposini vivono barricati in cucina, il loro è un rapporto con una forte connotazione gastro-erotica. Questa notte sono rimasta ore a ululare fuori dalla porta sbarrata della cucina. Sentivo il sibilo del gas. Ce lo avevo nella testa, quel fischio lacerante, accompagnato dal suo acre odorino.

Ho gridato, ho bussato, ma non ho avuto risposta. Solo lei, si udiva nel silenzio della notte. Lei, con quella richiesta martellante: «Dimmi maiala, dimmi maiala, dimmi maiala...».

«Apri, maiala!» gridavo io, in lacrime. «Apri, maialona, che c'è il gas in libera uscita...» Ma, d'altronde, Eros e Thanatos vanno in tandem.

È terribile, Manola, come ci si sente soli ascoltando i suoni dell'amore. Forse sarà capitato anche a lei, da piccola. A tutti i bambini capita. È atroce scoprire di essere venuti fuori da quella frenesia lì. Io pensavo di essere nata da un intento poetico. Credo che ognuno, per quanto misero, si senta unico. Basta guardarsi le vene, questi tubicini blu perfetti. Basta fare un pensiero, uno di quegli strabilianti pensieri che, all'improvviso, si formano dal nulla e ci inorgogliscono maledettamente. Poi, una sera, per caso – solo perché avevi una pipì troppo lunga da trattenere fino al mattino – ti imbatti in quell'affanno. Allora, capisci che non è vero niente: mamy e papy non hanno atteso proprio te. Sei nata così, per caso, e probabilmente li hai delusi, come loro hanno deluso te. Però puoi consolarti pensando che, solo grazie a quella foia inguinale, hai avuto parte nell'universo.

All'alba Poldo ha spalancato la porta. L'ho affrontato e gli ho detto: «Ti prego, quando interagisci sessualmente con mia sorella, dille maiala, così lei esulta, e io posso controllare il gas in santa pace».

Anemone

La luna di miele è finita. Poldo ha ripreso le sue ricerche psicogastroantropologiche. Mi ha detto: «Amore, non puoi restare a poltrire fino alla controra in attesa che io ti porti il caffè e un assaggio di panzanella. Datti una regolata». Così, adesso, mi tiro su dal letto prima che faccia giorno. E ho scoperto che non mi fa fatica. Voglio dire, non più di tanto.

Sono così galvanizzata, Manola, per la mia nuova vita. Certo, un po' di scoramento mi piglia, quando mi trovo davanti il campo di battaglia della sera prima. Ortensia, poi, si è terribilmente impermalita con me, e non vuole saperne di darmi un aiuto. Io non mi perdo d'animo. Tolgo le cispe dagli occhi e mi metto subito al lavoro, anche se non so dove mettere esattamente le mani. Oltretutto, devo stare attenta a far piano, perché se Poldo sente qualche fracassone, proveniente dalla cucina, si imbufalisce. Lui lavora fino a tarda notte, e al mattino, povera stella, naturalmente riposa.

È bello rimanere sole a riordinare, e sapere che dovrai farlo tutta la vita, è davvero rassicurante. Senti che nei tuoi piccoli gesti c'è qualcosa di solenne, ti senti eterna, ripetitiva e utile, come le stagioni. Voglio che tutto funzioni nel migliore dei modi. Quando Poldo si alza, devo essere pronta per la nostra colazione tête-à-tête. Il mio grande amore mi dà il buon giorno con una linguata ippopotama, e a me viene subito voglia di farlo, ma lui dice che il sesso a digiuno è uno spreco, come un clistere a intestini sgombri. Così ci sediamo a tavola. Io metto su la mascherina. Sì, Poldy quel piccolo problema dell'alitosi non l'ha ancora risolto, e il suo fiato di primo mattino io non ho la forza fisica per sostenerlo. È un problema mio, per carità! Per il resto, la giornata scorre che è una meraviglia.

Sto scoprendo una dimensione nuova, Manola: sto cucinando la coratella. L'avrebbe mai detto? Poldo vuole che aggiunga la pellancica di cinghiale nel soffritto, sa il cotennone? Tra pochi minuti è pronto anche il soufflé di porri, cicale di mare e abbacchio, poi chiudo con le beccacce ripiene: tolgo la cacchetta, taglio tutte le interiorine a pezzetti, aggiungo coriandolo, noce moscata e vino moscato, rane, e poco, pochissimo pepe.

Mi piace cucinare. Oddio, non so se mi piace farlo in assoluto, ma è certo che mi piace farlo per Poldo. Un uomo devi sapertelo tenere, Ortensia non ne è stata capace. Non puoi lasciare che un uomo di pensiero si abbrutisca in rosticceria. Il filosofo deve avere una dieta equilibrata. Per fortuna, so dove approvigionarmi, perché io, da quel puzzolentone dell'alimentarista all'angolo, non ci metto piede. Fino a un mese fa non sapevo neppure il prezzo di una michetta, ma adesso ho l'occhio lungo per il paghi tre e prendi nove. Prendo sette autobus e vado dal grossista fuori porta. Poi all'occorrenza ho anche le mie comodità, i miei fornitori a domicilio. Tra poco, per dire, dovrebbe arrivare il tir dei capitoni dalla Groenlandia.

Mi vede un po' sudata? Non si preoccupi, Manola: adesso corro in bagno a darmi una rinfrescatina, metto su il tanga, le giarrettiere, non ho alcuna intenzione di lasciarmi andare, io! Natiche avanti e natiche indietro, e uno e due e tre e quattro, bacino in fuori, bacino in dentro, spingi bicipiti, estendi tricipiti: sto seguendo un corso radiofonico di domesticgym. Lo sapeva, Manola, che schiacciando le patate si possono fare i pettorali?

Puoi fare un mucchio di cose senza mettere il naso fuori dalle mura domestiche, così quando tuo marito rientra si sorprenderà nel trovare tutto in ordine, e tu, sexy e ginnasticata, che puoi anche sostenere una conversazione. Sì, io appendo l'inserto cultura accanto alle presine, ogni tanto ci butto un occhio, e nel frattempo guardo i documentari sul mondo animale; dalle bestie si possono imparare tante cose che tornano utili nella vita di tutti i giorni. Perché, vede, Poldo con me non ha la stessa intesa intellettuale che aveva con Ortensia.

Ha ripreso a chiamarmi la sub-cretina. Con affetto, s'intende... «Sub-cretina, parla quando piscia la gallina.» «Hai messo troppo pepe nelle beccacce, sub-cretina...» e... zac, parte il buffettino. Per carità, non fraintenda, Manola, mio marito è pieno di riguardi nei miei confronti, non lascia mai nulla nel piatto, lecca persino il piano di marmo, i lavelli. Per una donna è fastidioso avere a che fare con gli avanzi, devi incartarli, metterli in frigorifero, tutta fatica in più... Per caso sente anche lei puzza di gas?

Ortensia

Manola, è successo qualcosa. Stanotte sono scivolata fuori dal mio scatolo con una certa pigrizia, poi davanti alla porta sbarrata della cucina ho fatto uno strano pensiero: "Orty, nessuno uscirà da quella porta prima dell'alba, potresti risparmiarti un pochino, comincia a ululare tra mezz'ora...", ho chiuso gli occhi e mi sono lasciata imprudentemente vincere dal sonno. Mi sono svegliata che era già giorno fatto; in cucina, Any stava rigovernando. "Ortensia" mi sono detta, "non è possibile che tu sia diventata così irresponsabile: ti sei addormentata senza controllare il gas..." Non era mai accaduto in tutta la mia vita. Un'ansia impetuosa ha cominciato a rimestarmi, in largo e in lungo, l'intero corpo.

Ho messo su la tuta mimetica e sono uscita. Sentivo un bisogno spasmodico di allenarmi, fino allo sfiancamento totale. Aveva appena piovuto, c'era un odore di cielo lavato e di vecchi escrementi di uccello, riportati in vita dalla pioggia. Correndo senza cautela sono arrivata al ponte. Era mia intenzione lasciarmi stordire da un vigoroso attacco di acrofobia: l'attacco finale. Sono salita sul muretto, mi sono sporta interamente verso quel fetido Stige lì sotto, e già pregustavo l'amarognolo in bocca, il sobbuglione al cuore. Invece non è successo, Manola, non è successo! Ho guardato in basso verso il fiume senza il minimo perturbamento.

Manola, le chiedo: cosa mi sta accadendo? Non è possibile che io sia diventata di colpo una comune stupidotta che s'affaccia da un ponte come se niente fosse, senza il neppur minimo fischione cardiocircolatorio. Non ci sto. È inammissibile mandare all'aria, da un giorno all'altro, il proprio frastagliatissimo universo fobico. Io mi ritroverei senza fondamenta, senza il mio consolidato zoccolo patogeno. Inoltre le fobie sono le mie uniche amiche, mi hanno regalato le emozioni più belle della vita. Non mi regge il cuore ad abbandonarle così: io non sono un'ingrata. Non me la sento di dire: "Che bello, posso attraversare un deserto, o affrontare lo spintonamento urbano, con identica disinvoltura, come chiunque". Io non voglio essere come chiunque. Sarebbe lo stesso che schiaffare le mani nell'olio bollente, e perdere le proprie impronte digitali.

Sono le imperfezioni che ci caratterizzano. Io sono sempre stata intensamente caratterizzata. Non posso buttare alle ortiche anni e anni di lavoro. Dentro di me, anche il più piccolo malessere s'è forgiato con intelligenza per esprimere al meglio la mia personalità. Capisce cosa sto dicendo? Le fobie coincidono con la mia stessa identità, e mi distinguono da tutti gli altri esseri umani.

Mi sono sentita persa, come una bambina appena nata. "Forse è stato l'abbandono di Anemone a demotivarmi così..." ho pensato, guardando in alto il volo di due rondinotti che tagliavano il cielo, mentre un'onda calda sciabordava nella mia personcina.

Allora, Manola, ho deciso di migrare. Non ha più senso per me rimanere qui. Metterò in mare la canoa che ho costruito lisca a lisca con papy; il mio vecchio ne sarebbe contento. Pensavo di dirigermi verso la mitica isola di Thule, il luogo più a nord della terra, a sei giorni di cammino dalla Britannia e a uno dal mare solidificato. Laggiù, forse, troverò la pace di cui ho bisogno. Desidero un lungo sguardo azzurro, e nient'altro.

Dovrò lasciare Grogo a terra, è troppo vecchio, e non me la sento di fargli affrontare un viaggio così faticoso. Non ho voglia di funerali marini, di piume sparse sull'atlantico. Gli dirò di restarsene all'asciutto con l'iguanuccia di Helmutta, lei gli vuole bene. A Lucianella, invece, non dirò nulla. Le manderò una cartolina con un orangutan in costume da bagno olimpionico. Lei capirà.

Ha dei consigli da darmi, Manola? Cosa mettere in valigia? Sto facendo l'inventario delle mie economie, poche davvero. Porterò con me, oltre alla mia umile persona, il mio primo rasoio, il fascicolo sulle dermatiti anali dell'enciclopedia Buggioni, una borraccia di Rescue Remedy e, del Maestro, almeno uno dei suoi tre saggi sulla teoria della sessualità, anche se temo che non ne avrò bisogno. Per il resto mi nutrirò di meduse, mi scalderò con il sale, e mi onanizzerò come un riccio marino. Io detesto il possesso: più si ha e meno si ha. Voglio una vita sgombra, una vita orientale. C'è mare mosso, Manola, dentro di me. Stanotte, dopo anni di inattività, la bandiera rossa è tornata a sventolare nelle mie mutande.

Anemone

Una caccia al tesoro. Raccogliere le cose di Poldo in giro per l'albergo è una vera caccia al tesoro. Quando si spoglia è capace di buttare un calzino sul lampadario, l'altro nella ciotola dell'iguana, il sospensorio nel portaombrelli. È un giocoliere! D'altronde è cresciuto in un circo, fin dalla più tenera età ha imparato un mucchio di trucchetti divertenti.

Io non capisco proprio quelle donne che stando in casa soffrono di crisi disistimiche, mio marito dice che nelle culture orientali è esattamente il contrario. La casalinghitudine è così densa di emozioni. Ho appena lavato i boxeroni di Poldo, e nel bagno ho vissuto un momento inebriante.

È molto rilassante lavare i panni a mano. Attraverso i gesti metodici dell'insaponare, dello sbattere, dello strizzare, puoi stabilire un ritmo pacifico anche con la tua interiorità. Sto riscoprendo i valori di una volta. Quella calma beata, estatica, che avvolgeva i volti delle donne del secolo scorso. Erano consce della loro centralità, e non si sentivano affatto menomate.

Poldo aborre l'imbarbarimento tecnologico. Dice che il progresso è una menzogna, e che la nostra è una delle civiltà più involute che siano mai esistite. Dice che io sono terribilmente involuta a volere la lavatrice, e che la vera libertà sta nel non essere dipendenti dagli impiastri meccanici, perché tanto, in un futuro non troppo lontano, il petrolio finirà e anche la corrente elettrica finirà, e andremo incontro a un altro medioevo. Dice che devo allenarmi se voglio sopravvivere. Inoltre, il boato metallico delle centrifughe lo rende pazzo. È naturale, Poldo ascolta la musica del cosmo...

Così abbiamo abolito ogni comodità. Peccato, per le mani: mi si stanno screpolando. Ho scoperto di essere allergica ai guanti di gomma, mi vengono tante bollicine. Mi gratto, mi gratto, ma niente! Il prurito non passa. Manola, ha letto la storia di quel bambino allergico alla plastica: un calcio al pallone potrebbe essergli fatale. Il mondo è malato.

Anche io non sto bene. Stamani avevo perfino due linee di febbre. Che dice, Manola, potrebbe essere la cinese? Non ricordo di aver mai preso l'influenza, in tutta la mia vita. Pazienza. Gli anni passano, le difese immunitarie si assottigliano, la fatica aumenta, è tutto regolare. Non ci si può sempre sentire invulnerabili, con l'età della ragione, si diventa per forza di cose più percettivi, e di conseguenza un po' fifoni. Si ha paura di tante piccole cose, senza motivo, per stanchezza. Mettiamo: una è lì davanti alla friggitrice, tutta tranquilla che tira su supplì, e all'improvviso le capita di immaginare che la faccia potrebbe caderle nell'olio bollente. Solo la faccia, i capelli no. Comunque è già un bel danno.

Io sono contenta, penso che sto maturando parecchio, sono più consapevole. Pensi che da ragazzina pattinavo al nono piano, sul cornicione esterno cosparso di sugna, facevo il triplo carpiato nel bidet in venti centimetri d'acqua, e un mucchio di altre idiozie analoghe, facevo. Ero una furia della natura.

Mi sta servendo avere un confronto con la vita reale. Lei non immagina come sia utile, Manola, scrostare il water con il lisoformio. Te ne stai lì curva a raschiare, guardi quell'inghiottitoio nero e presti ascolto alla tua anima. Ti fai un mucchio di domande: "Anemone chi sei? Che fine farai? E che fine farà il leopardo delle nevi? E la lontra gigante del Sudamerica?". No, Manola, non si preoccupi, non sto piangendo, sono lacrime ecologiche. Colpa della cipolla, ne ho triturata troppa stamani. Poi, sa com'è, una lacrima tira l'altra... Quando una non si sente bene finisce per afflosciarsi anche d'umore.

Mi specchio nell'acqua del water, Manola, quello che vedo riflesso non è che mi piaccia granché. Sono terribilmente gialla, senza trucco, e poi tremo. Mi sento piena di brividi. Ho chiesto a Orty se poteva prestarmi una delle sue canotte idrorepellenti in caucciù, tanto a lei non servono più: parte. Non so dove sia diretta. Verso il caldo, suppongo.

Ti si ficca nelle ossa, questo umido, nel cuore ti si ficca. Per fortuna, ho il mio nido. Mi sono stretta a mio marito, e lui mi ha detto: «Sembri un travestito alle sei del mattino, dopo che ha trombato tutta la notte sui viali...». È così carino con me, cerca sempre di sdrammatizzare. Non so come farei senza di lui, e il suo grandioso umorismo. Vorrei tanto infilarmi a letto, ma non posso, ho ancora troppe faccendine da sbrigare. D'altronde, sono solo due lineette di febbre... Sa cosa faccio? Mi preparo un bel suffumigio di eucaliptolo per emollire questa influenzaccia, e, già che ci sono, metto nell'acqua bollente qualche petalo giallo d'iperico contro la depressione. Ho letto che i depressi si ammalano prima. Non che io sia depressa, figuriamoci, non ne avrei alcun motivo. È solo prevenzione, la mia... È che, ogni tanto, all'improvviso, dal niente, mi commuovo. Gli animali, con quei loro occhi, mi accorano terribilmente. Ammazzano un mucchio di rinoceronti perché dalle loro corna estraggono un potente afrodisiaco. Io non capisco perché la gente non si faccia delle corna comuni: sono molto più afrodisiache.

Anzi no, vado sul sicuro. Uso il rimedio di nonna Regola. Mi prendo un bel bicchiere di latte e cognac. Sì, sbatto un goccio di latte nel cognac... Ho voglia di tirare lo sciacquone e di lasciarmi andare giù.

Mi piacerebbe adottare un gatto, di quelli con il pus negli occhi. Sento che mi farebbe bene occuparmi di un randagio, sarebbe, come dire, la prova generale per un'eventuale maternità. Io credo molto nella zooterapia. Il gesto continuato dell'accarezzare è rasserenante. Stamattina ho fatto una carezza a Poldo, e lui m'ha detto: «Ma che, hai i rasponi al posto delle dita?».

Forse esagero con le pulizie, è che mi dà un tale fastidio vedere qualcosa di sudicio in giro... Orty dice che sono a un passo dalla rupofobia, si chiama così la paura esagerata del disordine. Non mi interessa quello che dice lei, io voglio un ambiente sano intorno al mio matrimonio.

Ortensia

Sta calando il freddo, Manola, lo sente? C'è già in giro un bell'esubero di asiatica. L'influenza è una cosa meravigliosa: un cortocircuito, una stasi di consolo, una feritoia luminosa! Va presa al volo. Il mondo non pretende più niente da te, e tu non pretendi più niente da lui. Puoi rimanertene, chiotto chiotto, sotto le coperte a inalare il tuo odorino bollente, e puoi sfangare anche il pranzo di Natale. Con un po' d'accortezza, un'influenza ben coltivata riesci a tirartela appresso fino all'anno nuovo. Io non ne ho mai saltata una. Quella gialla poi... con quell'armata batterica così puntuale nei suoi attacchi. Adoro i cinesi, per la loro essenzialità, per gli abituzzi frusti da travet, per il placido ronzio delle biciclette, ma, soprattutto, per la solerzia con cui ogni anno incitano le loro galline e le loro anatre a sputarci addosso questa prodigiosa orda di bacilli.

Stavolta, invece, niente. È una sensazione terribile constatare che una calamità non mi riguarda in prima persona. Per tutta la vita, ho condotto autentici corpo a corpo con il micosismo terrestre, e ne sono uscita sempre a testa alta, cioè sconfitta. E adesso che, come non mai, agognerei una robusta acciaccata febbrile – onde verificare se Anemone interrompe il suo delirio muliebre per portare un fumentino alla sua povera gemella – adesso, sana come un pesce. Il bacillo vaga nell'aria, ma, incredibilmente, non attecchisce su di me. E dire che, appena sento qualcuno che sputa fuori una bella tosse, grassa e catarrosa, mi accosto languida, visualizzo i bronchi sofferenti rossi come polpa di cocomero, e i bacilli che marciano a migliaia dentro quegli orti mucosi. Inalo, inalo profondamente, senza ottenere, come risultato, neppure un raschietto in gola. Atroce. Manola, le ho provate tutte. Mi sono alleggerita della lingerie di cauccilà, adottando ampie scollature toraciche. Ho addirittura messo in atto una – inimmaginabile per me – strategia da spaccone. Guardo il cinesino diritto negli occhi e gli faccio: «Vai a cagare, bacillo, non c'è trippa per gatti!». Ostento la luce nivea del mio petto, e l'impavido scappa a gambe levate, corre a infilarsi sotto qualche sciarpetta previdente.

Ho scoperto così che i virus sono incredibilmente codardi: attecchiscono sempre sui più fragili. Non mi piacciono i vili, non mi sono mai piaciuti, e non ho più alcuna intenzione di ospitarli nella mia coraggiosa carcassa. Però sono triste. Il mondo civilizzato, per me, era un territorio costellato di formidabili trappole, ma ora che non inciampo più neppure in una banale influenza, non ha proprio senso restare. Meglio partire.

Vedo, Manola, che mi sta guardando il seno... Fino a ieri non sapevo neppure di avercelo. Poi, all'improvviso, sotto la montagna dei miei pannucci, mi sono ritrovata tra le mani queste due inaspettate rotondità. "Da dove saltano fuori?" ho pensato.

Stamani all'alba sono uscita per comprarmi le medusine di gomma da mettere ai piedi durante la traversata. Onde evitare incontri pericolosi, mi avventuro per le mie piccole compere sempre molto presto. Posiziono le natiche su un pirolo, nei pressi del negozio ancora sbarrato, e aspetto il proprietario. Mi piace essere la prima, avere davanti a me una mostra di merce illibata, infreddolita dalla notte.

Stavo quasi per raggiungere la mia postazione, accanto alla serranda dell'emporio prescelto, quando, sotto il portico, sono stata intercettata da un gruppo di operai che lavoravano su un ponteggio. Uno di loro – spalle nerborute fuoriuscenti da canotta neorealista – allumando il mio compatto décolleté, ha esclamato: «Bimba, vieni un po' qui da me che giochiamo a bocce!». Onestamente devo dirle, Manola, che l'uso arbitrario della seconda persona, in questa circostanza non mi ha perturbata. Il linguaggio popolare, senza dubbio impudico, attraverso pregnanti immagini metaforiche, riesce talvolta a tratteggiare la femminilità con disinvoltura, arrecando immediata soddisfazione all'eventuale destinataria. Non mi era mai successo. Fino a oggi, l'apprezzamento più gradevole che mi è capitato di udire al passaggio della mia persona è stato: «Forza con il limone!» come per le cozze, le vongole, le telline, e ogni tipo di mollusco. E poi, dicono che una povera creatura si chiude a riccio...

In un'altra occasione sarei fuggita. Stamane, invece, ho inspirato profondamente, reprimendo i battiti del mio cuore in subbuglio, e mi sono fermata. Dentro di me si è scatenata una lotta terribile. Da una parte, il mio io imperioso e conservatore mi intimava d'ingobbire le spalle e retrocedere seduta stante; dall'altra, una novella Ortensia molto più disinibita, m'invitava a procedere con scioltezza. Ho dato fiducia a questa incerta creatura appena affiorata.

Sono passata davanti alle impalcature a testa alta, con i seni esposti alla ruvidezza di quegli sguardi cafoni. La mia offerta carnale era avvolta da un'aura di sacralità. I lavoratori del calcestruzzo, naturalmente, non l'hanno notata. Loro non potevano sapere quale incredibile passo nel vuoto stessi compiendo. I fischi!, Manola mia, i fischi! Mi sentivo inadatta e traballante, però non mi sono salvaguardata mai, neppure quando il giovane neorealista ha palesato la voglia di infilarmi una mano nel décolleté; l'ho lasciato pascolare nella sua inclemente maniera da rimestatore di cementi. I miei capezzoli sono divenuti duri come sassi, il mio cuore molle come un budino. Ero nella tana del lupo urbano.

Più tardi, all'interno del negozio, i miei nervi tesi si sono afflosciati in un pianto fluviale. "Chi sono io?" mi chiedevo, accorata. Il mio io conservatore era stizzito e si rifiutava di darmi ascolto. Quanto alla nuova Ortensia, evitavo d'interpellarla, visto che, ora, a operai oltrepassati, mi procurava solo un grande senso di vergogna. In balia del mio stato confusionale, come una fogliolina strappata dal vento al suo ramo, sbattevo contro gli scaffali gremiti di calzature dalle fogge più svariate. Poi, sulla parete in fondo, ho notato il molesto scintillio del cristallo che, applicato su lamina d'argento, dà vita allo specchio.

Lei sa, Manola, che da anni immemori prediligo il

riverbero dell'anima, disertando ogni reale specchiera. Ho il terrore di incontrare il mio corpo, nella tema d'infrangere fiabesche chimere. Ero tentata di voltare i tacchi verso una più clemente parete di solo intonaco, per restare in eterno la meravigliosa principessa delle mie fantasmagorie. Ma i sogni sono difficili da tenere in forze. I sogni affaticano, Manola, e io mi sentivo improvvisamente stanchissima. D'altronde intorno a me non c'erano calzature di cristallo, ma solide scarpe terrestri. Era tempo di abbandonare la groppa del mio cavallo alato. Volevo la realtà. Volevo vedere in faccia la rana, per scoprire se c'era qualcosa di buono in lei.

Sono corsa verso lo specchio, fino ad abbracciarmi. Occhi nei miei occhi mi sono guardata, e, finalmente, ho incontrato Ortensia. "Non sei male, Orty..." mi sono detta, soppesandomi nel mio piccolo insieme. "Sei un tipino... Un gran bel tipino!" Allora ho capito che le illusioni sono vane creature, subdole cortigiane del nostro immaginario, che ci disalveolano da noi stessi, condannandoci al nulla. Adesso io ho un corpo, Manola. Non particolarmente bello, d'accordo, ma sempre meglio di niente. E dei peli neppure più l'ombra. Da tempo ne trovavo a ciuffi sugli abiti, quando mi spogliavo, ma non pensavo di essermi così levigata.

Mi è venuto da chiedermi dove fossi finita per tutti questi anni. Dove? Nel vomito di mia madre, nei piatti dei clienti servita con contorno di anguillette e borlotti, nella buzza avida delle suore, in quella del mio fidanzato, nelle tette di mia sorella, nel suo strabiliante davanzale... Intanto, alle mie spalle, era sopraggiunta, nello specchio, una donna molto truccata, grassoccia, che deambulava malamente sui tacchi troppo alti. Ho riconosciuto Anemone.

Volevo correrle incontro, per dirle che forse ci stavamo avvicinando, e che mi ero accorta di quanto coraggio richiedesse scendere nel ring terrestre, perché la carne è soggetta a una brutalità cui lo spirito sfugge. Ma lei pareva spersa, affaticata dal suo fardello di illusioni. Era piuttosto patetica con i seni molli arrampicati in alto dentro il reggiseno a stecche, come due tristi comari che appese a un balcone rimpiangono il tempo passato. Mi ha fatto pena, volevo dirle di lasciarli sciolti, quei seni. Manola, il matrimonio ha reso Any più riflessiva, ma non giova al suo aspetto fisico. Guardavo quelle due scamorzone giallognole che le irrancidivano il davanti, e, terrorizzata, tornavo con lo sguardo sulle mie provolette dure.

Il commesso si è avvicinato a lei, poi è scomparso nel retro del negozio. Any si è seduta su uno sgabello, curvandosi fino a raggiungere i piedi. Calzava le leggendarie scarpe violet. Ha cominciato a sfilarsele lentamente, con piccoli gesti metodici, ma convulsi. Doveva costarle fatica abbandonare quei trenta centimetri di plexiglas con bonsai incastonato. Ero curiosa di vedere le sue nuove scarpe. Ma quando il commesso è tornato con la scatola in mano, Any piangeva a dirotto, come un fontanile. Mi sarebbe piaciuto andare da lei e dirle di non preoccuparsi, perché ogni passaggio evolutivo prevede uno stadio intermedio di incertezza e angoscia.

«D'accordo» ha sussurrato Any, tra i singhiozzi, «le compro a scatola chiusa.»

È uscita dal negozio scalza, con la sua scatola sotto braccio. Le leggendarie scarpe violet, protagoniste di tante battaglie, rimaste lì, dimenticate sulla moquette. Mi sentivo in dovere di dare loro degna sepoltura, all'interno delle mura alberghiere. Novella Antigone, mi sono chinata, e, furtivamente, ho raccolto quelle spoglie valorose.

Anemone

Mi sta guardando le ciabattone di pelo? Sì, lo so, esteticamente non sono un granché, ma le trovo incredibilmente confortevoli. Sono quelle della pubblicità con il montone siberiano che corre nel grande prato, davvero molto verde, poi, quando arriva sul ghiacciaio, e tu pensi: "Poverino, come farà adesso?", e già ti viene da piangere, lui si volta nella tua direzione, ti sorride, si accuccia, s'infila le tue ciabatte di pelo sintetico e se ne va via tutto felice sul ghiaccio. È bellissima!

Ho le caviglie gonfie, le vene maestre sono ingolfate di sangue, e quelle secondarie affiorano a ciuffi come i fuochi d'artifico a salice piangente; così, la mia pelle è uno spettacolo di capillari pirotecnici.

Dopo tanti anni di tacchi a spillo, c'era da aspettarselo. Anche il viso però è gonfio e ragnato di rosso. Strano. Ho appena avuto un rigurgito di vanità e ho misurato la mini di stretch. Nella lampo, sono rimasti strizzati diversi palmi di grassetto. Sono leggermente ingrossata, forse è colpa degli odori, ho la sensazione di non metabolizzare più come una volta, ma è normale, credo che alle donne sposate capiti spesso: tutto quel silenzio intorno.

Eppure spilucco giusto qualcosina in piedi mentre cucino, tanto per far tacere il gru gru, quel piccolo costante fremito che sento nello stomaco, come se mi mancasse sempre un non so che. Cerco di colmare il vuoto dentro di me. Così robusta, mi sento meno leggera interiormente. Ortensia dice che devo stare attenta perché corro il rischio di diventare troppo materna, come figurona. Ma io credo, Manola, che un matrimonio riuscito si fondi su una certa classicità. L'amore di una donna verso il proprio uomo passa inevitabilmente attraverso la nutrizione.

Mi dà una sconfinata gioia sessuale vedere Poldo che assapora i miei manicaretti. Mi accuccio in un angolo, a braccia conserte, e gli chiedo: «È buono? È buono? È buono?».

Io no, a tavola non mi siedo e non ci mangio più. A Poldo non piace. Lui preferisce degustare in solitudine, e vuole tutto per sé, come i bambini. Mi ha spiegato che il pasto non si può spogliare della dimensione rituale, lui è sempre immerso nella ricerca, e a tavola metabolizza le sue fatiche spirituali. No, non sto piangendo, lacrimo, ma non piango, non avrei alcun motivo di farlo, sono così felice!

Ho paura del microbo gassogeno. Le persone si gonfiano e porzioni periferiche del corpo putrefanno all'improvviso durante una passeggiata, o in palestra. Molti si sono fatti amputare braccia e gambe, prima di esplodere definitivamente. Il primo sintomo è una eccessiva e prolungata lacrimazione.

Ma forse sono soltanto allergica alle graminacee, oggi era giornata d'impasto. Chiudo gli occhi e cerco di ricordarmi i gesti di Armida, la nostra vecchia cuoca e quasi mi sembra che i suoi avambracci di solida impastatrice si sovrappongano ai miei, per guidarmi. Da ragazzina passavo le ore a guardare quelle mani strette sul mattarello. Di colpo schiaffavo la faccia nella farina, Armida scoppiava a ridere e mi correva appresso per tutta la cucina gridando: «Il fantasmino, il fantasmino...». Il passato è terribile quando cade nel presente!

Oggi non c'è da fidarsi, Manola. Incautamente, compriamo quelle allettanti michette di pane bianco e non immaginiamo che, occultato nel fragrante biancore della mollica, ci sia un bel mucchio di acido ascorbico. Buttiamo giù troppe diavolerie chimiche, che ostacolano l'ossigenazione del sangue, per questo siamo depressi. Io comincio a sentirmi davvero scarsamente ossigenata. Ho quasi tutti i sintomi di una seria intossicazione: dolore al collo, prurito, formicolio alle estremità, nodo alla gola, annebbiamento della vista, palpebra che salta, palpitazioni, stipsi. Sì, non vado più al gabinetto. Siedo sulla tazza e prego. Ma ne cavo soltanto qualche pallina dura, come le capre.

Questa settimana penso che salterò il parrucchiere. Mi piace molto l'atmosfera che si respira là dentro, quell'odorino caldo di shampoo, di phon, i rotocalchi, le chiacchiere. Il mondo sembra fermarsi, la cosa più importante diventa la curva di un ricciolo e il colore di un'unghia. Forse ci andrò comunque, mi siederò sotto un casco senza fare nulla, solo per annusare un po' di accoglienza femminile. Ma non posso più decolorarmi i capelli. Ho la sensazione che l'ammoniaca e l'acqua ossigenata penetrino oltre i bulbi e scivolino nel cervello per rosicchiarlo. Per fortuna che c'è il fernet. L'alcol fa bene, la buccia degli acini d'uva contiene fitoalessine, un formidabile fungicida naturale, adattissimo per stanare i vermi.

Me li sento dentro dappertutto, i vermi. Viaggiano nei miei condotti, ordinati come coreani in fila. Ha letto la storia di quella signora che aveva dei bubboni mostruosi sulla schiena? Erano noduli prodotti da una larva abominevole. La signora era un tipo pratico, non si è lasciata intimorire, ha posato una spessa fetta di allettante guanciale sui noduli. Nottetempo la larva ha lasciato il bubbone e s'è trasferita nel guanciale. Cosa ne pensa, Manola, potrei adottare anch'io lo stratagemma del bacon per liberarmi dei miei vermetti?

Pazienza, per lo stretch, dico. D'altronde è un tessuto dozzinale, ti sagoma troppo, aderisce sempre nei punti sbagliati. Io preferisco il glorioso zinale, informe e sbrindellone, che non devi star sempre lì a trattenere la panzella. Bisogna arrendersi serenamente al lardo, è inutile opporsi a certe cose, Manola.

Certo, è strano essere così grassa, quando hai ancora tanti languori da ragazzina, quando ancora ti piacciono le scarpine da ballo. Finisce che ti senti un po' ridicola. Ti rintani nella tua stazza, sperando che gli altri ti credano solida come il tuo corpaccione. Invece, sotto sotto (che risate!), sei un budino ambulante, che vorrebbe ancora qualche morsetto d'amore, e la vigilia di Natale ti piacerebbe infilarti un giulietta e romeo, una collana di perle, spalmarti un po' d'ombretto turchese intorno agli occhi, e andare a mangiare le castagne arrosto lungo il corso, sotto braccio al tuo lui. Ma sai che non puoi più pretenderle certe smancerie, sei una donna fatta. Un donnone strafatto, sei. E poi tuo marito non ha i tuoi stessi languori. Lui è un uomo, con un mucchio di cose esterne al suo sé, come i genitali. Allora vai avanti così, e per strada cerchi di non alzare lo sguardo sul corpo di quella magra in minigonna, che ti passa accanto, se non vuoi scoppiare in uno di quei tuoi pianti idioti. Cammini a testa bassa, insaccata nel tuo cappottone, sperando che tuo marito non guardi la gazzella in minigonna. Ma siccome sai che lui già lo sta facendo, ti volti altrove... verso una domanda. Ti chiedi dov'è finita la fiera che eri. Vivaddio, s'è smarrita in quella savana di carne che hai messo su per resistere meglio ai colpi della vita. Ormai sei votata all'indulgenza. Manola, una donna grassa deve essere indulgente, se vuole tenere in piedi il suo matrimonio.

Poldo mi ha regalato la crestina, ci voleva proprio, perdo tanti capelli... Forse è colpa del collasso ecologico, di quel grande buco nell'atmosfera. Adesso mio marito mi chiama scherzosamente "negra". Credo che lo faccia per solidarizzare con un suo amico che ha la colf di colore. Un'autentica bomba, pare. Certo costa più di un milione al mese. Io sono gratis. Vado a dar fondo alla cioccolata, mi sento in corpo un piccolo precipizio glicemico.

Ho una scorta di cibariucce d'emergenza avvolte dentro una pellicola di plastica nello sciacquone. Mangiare non mi soddisfa più, anzi mi fa venire la nausea. La nausea di me stessa. Eppure non posso farne a meno. Allora m'ingozzo, per non vedere quello che mangio. E dopo voglio che sia tutto pulito, non tollero di guardare i miei resti.

Ortensia

Sinceramente, Manola, sono preoccupata per Anemone. Sarà perché indossa tutte le mie canottiere l'una sull'altra, ma appare assai appesantita, come certi muri che hanno troppi strati di intonaco. Alle formose succede, basta un accumulo di pochi chili, e repentinamente perdono armonia, si spampanano come fiori sotto la grandine. Noi seccardine, invece, resistiamo meglio alla bordata degli anni.

Ha voluto a tutti i costi regalarmi la sua mini di stretch... poi è scoppiata a piangere. Inalando il fiato, che fuoriusciva dalla sua bocca sospinto dai singhiozzi, ho sentito un fortore da osteria. Le ho detto: «Cara, l'alcol fa invecchiare. Vai dagli alcolisti anonimi, nessuno ti riconosce, si chiamano anonimi proprio per questo. Devi fare uno sforzo su te stessa. Ti alzi in piedi e dici: "Compagni, trinco perché sono una casalinga depressa..."».

Mia sorella non lo farà mai, Manola, perché si vergogna, e tende a reprimere i suoi sentimenti, così sta sempre peggio. Nessuno meglio di me conosce gli effetti tossici dell'implosione. Mi strugge vederla ingrossata e inebetita. Poverina, è incapace di decifrare quello che le accade dentro, butta giù e basta; è sempre stata un'onnivora. È uno struzzo ottimista, adusato a interrare la capoccella. Una così doveva solo sperare che tutto le andasse bene. Ma adesso dev'essere molto duro, quando senti che stai affogando, cercare di rimanere a galla, con un corpo così pesante.

È utile guardare gli altri. Mi sto accorgendo che il mio sguardo linceo era troppo versato allo scandaglio delle frattaglie e, per eccesso di zelo nei miei confronti, finiva col sacrificarsi, rinunciando a una più ampia visuale. In questo periodo, gli ho concesso una vacanza, e l'ho lasciato libero di svolazzare in giro. Attraverso questa ritrovata levità oculare, sto imparando un mucchio di cose: la clemenza, per esempio, e una certa morbidezza. Ho realizzato, così, che a pancia piena le cose si vedono con maggiore lucidità.

Devo confessarglielo, Manola, oggi, verso l'ora di colazione, sono passata davanti a una raffinata gastronomia. Ho pensato che probabilmente non avrei più avuto l'occasione di gustare certi manicaretti occidentali, non credo proprio che a Thule ci siano ristorantini da gourmet. Era la mia ultima occasione. Senza pensarci più del dovuto, mi sono risolta a entrare.

Ho cominciato con ostriche ancora palpitanti. Il sapore del mare m'ha commosso. Quindi, confortata, ho proseguito con delle fettuccelle alla bottarga. L'idea di tutte quelle uova di muggine pressate m'ha commosso ancora di più, tanto che mi è parso d'uopo ordinare una piccola aragosta, pescandola di mio pugno nell'acquario d'esposizione. Ne ho acciuffata una capricciosa, con uno sguardo furbetto, e le antennule vibranti. Per non sentire l'ultrasuono del suo lacerante pianto, mentre la scaraventavano in bollitura, mi sono tappata le orecchie. Ma poi ho pensato che in fin dei conti, con tutta la gente che continuamente crepa nel mondo, dell'eliminazione di un crostaceo decapode macruro commestibile non me ne fregava un fico secco. Ho liberato i padiglioni e, dopo aver ingollato un buon bicchiere di bianco della mia annata di nascita, con sorpresa, mi sono accorta che non lo sentivo, l'atroce sibilo della piccola palinurus vulgaris. Forse sto perdendo un po' della mia affinatissima sensibilità. Se questo implica uno sconto sul dolore, abbia pazienza, Manola, non riesco a crucciarmene.

Infine, ho gustato un piatto misto di dolci: budino, cotognata, spumone, mandorlato, meringa, cassata, mont blanc, pinolata, giulebbata, e qualche scorza di arancia affogata nel cioccolato fondente. Ho lasciato scivolare quei cibi nel mio corpo, dolcemente, seguendo con tutto il papillame gustativo allertato il percorso di ogni boccone – dalle labbra al palato, dall'esofago allo stomaco – per godermelo appieno.

Manola, io so mangiare, perché il mio spirito ha sofferto. Tutti questi anni di analisi, di privazioni, non sono stati vani. Le mie tecniche meditative, escavatrici, rivalutate in ambito goduroso, sono prodigiose. Perché dovrei essere diversa da quella di sempre? Io ho metodo, costanza, anche nel piacere: so corteggiarlo, aspettarlo, centellinarlo, assecondarlo, fino a farlo penetrare in ogni cellula del mio organismo. Oggi, c'è la corsa sfrenata al godimento acchiappaticcio. Si cercano sempre nuovi stratagemmi, ma, in verità, nessuno sa più come deliziarsi. I buongustai sono rimasti in pochi. Si va troppo in fretta, la fruizione dei piaceri è rapida, compulsiva, e in definitiva triste. Se il dolore necessita di un suo tempo, il piacere ne richiede almeno il doppio.

Dopo il centerbe, ho sentito una grande armonia basculare dentro di me, come se l'energia nel mio corpo avesse trovato un suo equilibrio, e non premesse più per farmi saltare in aria: si era allocata, quatta quatta, nel pancino aggravato dalla cibaria, e pisolava beata. Allora, teneramente, il passato ha fatto irruzione nel presente. Dalla nebbia è saltata fuori la piccola Ortensia digiunatrice, e mi sono congedata da lei con un sonoro ruttino.

Allegra, me ne ritornavo in albergo, quando ho cominciato a osservare, con crescente interesse, le facce delle persone che camminavano frettolose sulla mia strada. Erano tutti così tesi, immusoniti, che mi è venuto da ridere. Freud diceva che il riso consente uno sfogo certo all'inibizione sessuale. Avrei voluto precipitarmi da Lucianella, ma il mio affardellato pancino gorgogliava. Uno stimolo, a me misconosciuto, ma inequivocabile nella sua urgenza, di colpo complicava la mia passeggiata. Il sostanzioso bolo alimentare aveva già subito il processo di elaborazione ultima, e adesso aveva fretta di accomiatarsi serenamente. Non c'era tempo da perdere.

L'albergo era ancora troppo distante; speranzosa, mi sono guardata intorno, cercando il luogo più adatto a quel commiato. Ed ecco, in fondo al crocevia, il bussolotto satinato di un gabinetto pubblico. Non mi ero mai avvicinata a un luogo siffatto. Naturale, quindi, che una mareggiata di ribrezzo si sollevasse nella mia persona. Ma, camminando a velocità sostenuta, mi sono trovata costretta a sospingerla indietro. Manola, nella vita esistono delle priorità. Con un calcio ho spalancato la porta e, per la prima volta nella mia pensante esistenza, non ho pensato. Ho sollevato la mini di stretch e ho semplicemente agito.

Mi dispiace per Any, non avrei mai voluto privarla della sua minigonna. Ma ho riflettuto sul fatto che, tutto sommato, in navigazione il mio abito nero di lana greggia mi avrebbe intralciato durante le manovre. Lo stretch, invece, asseconda i movimenti del corpo, come una seconda pelle.

Accettare in dono questo piccolo capo di vestiario è stato, prima di ogni altra cosa, un atto di generosità. Non posso permettere che Anemone si renda risibile agli occhi del marito. Poldo, l'ultima volta che l'ha vista in minigonna, ha esclamato: «Dove pensi di andare bardata così, bucintora?». Pare che, per certi uomini, denigrare sistematicamente la moglie sia una straordinaria manifestazione di critto-affetto. Come dire: abbasso il tuo livello di autostima a quello di uno zerbino, così sono certo che, per tuoi occhi di strusciasuole, io resterò un dio e non mi abbandonerai mai, in quanto un vecchio zerbino psicolabile ha poche possibilità di rifarsi una vita.

In questo senso, Any è una donna fortunata. Poldo deve nutrire davvero una notevole quantità di critto-affetto nei suoi confronti. Le ha legato alla caviglia, tramite catena, una grossa palla di ferro. Evidentemente, è molto geloso di lei. Manola, dal mio osservatorio privilegiato, ho potuto constatare che il matrimonio, nella sua attuazione, rivela risvolti alquanto orrorosi. È come se tra due persone se ne formasse una terza, una sorta di figlio mostruoso, una pattumiera dove scaraventare il peggio di se stessi. Non credo comunque che Any e Poldo avranno figli di sangue. Specie diverse non possono figliare. Questo pensiero, prima di me, lo ha esternato anche Aristotele, e in tempi meno sospetti.

Inoltre, mi sa che Any deve averci qualche problema ormonale. Sulle sue braccia è cresciuto un praticello di ispida peluria... Io invece, con la ricomparsa del ciclo, mi sento molto fertile, e il mio corpo è diventato più accogliente. E chi lo sa che un giorno questo bel pancino non si riempia di vita. Certo, non ho il fidanzato, e neppure lo cerco. Non credo più nel principe azzurro. Penso, piuttosto, all'aura fecondatrice. L'inseminazione aerea è assolutamente possibile. Lei sapeva, Manola, che lo sperma ha facoltà volatili? Sull'Atlantico soffiano molti venti... Ha visto mai...

Anemone

Non ho più il ciclo, Manola. Ho messo il bastoncino del test di gravidanza a mollo nella mia pipì. Vorrei tanto un figlio. Un bambino è qualcosa in continuo mutamento, che passa dal latte alle pappine, si tira su nel box, mette i primi dentini. Noi adulti, con i nostri corpaccioni già completati, siamo così monotoni. Però, sono preoccupata.

Manola, s'è mai chiesta che fine facciano i superstiti dell'estate? Per esempio, quel ragazzo carino carino, con gli occhioni da cerbiatto, e la barbetta rada da capra, che ha fatto a pezzi i genitori con il machete delle piccole marmotte e li ha cotti con i fagioli nella sala hobby della villetta, dove la domenica infornavano le pizze e giocavano a domino tutti insieme, divertendosi un mucchio. Ecco, mi domando se nel karma di quei genitori fosse già scritto che prima o poi avrebbero fatto la fine dell'osso di prosciutto e della cotica... E quel bambino di soli tre anni, che ha abbattuto la mamma a randellate perché non voleva dargli la sorpresina prima di pranzo e gliela aveva nascosta nel pensile più alto, quell'infida. Manola, le chiedo: è giusto far desiderare ai propri figli le cose in maniera spasmodica, durante il tempo interminabile di un piatto di semolino, o non sarebbe meglio mollargli subito in culla le chiavi di casa, quelle del fuoristrada, il cellulare, il mitra? Allora, forse, si potrebbe pensare che quella coppia di giovani sposi che ha scaraventato la dolce neonata nella pastella, per poi friggerla come un fiore di zucchina, con un'alice in bocca, agiva a scopo preventivo, per evitare il peggio.

Eppure, ci vorrebbe proprio, una piccola vita nuova che ti zampetta dentro. Certo, non sarà facile consegnare a un bruco rossastro le proprie aspettative come in una staffetta. Però, sarà bellissimo rinascere insieme a lui, ricrearsi l'umore attraverso il suo buonumore. Tornerai a giocare gattoni per terra, a farti un mucchio di risate. Ma chi ti garantisce che sia un figlio allegro? E se ti somigliasse? D'altra parte, perché dovrebbe essere diverso da te?

Ho paura di non farcela, Manola. Ho sentito dire che quando se ne vanno via tutti gli ormoni della gravidanza, che il Signore ha messo a nostra disposizione per regalarci quel po' di ottimismo necessario a continuare la specie senza troppi magoni, noi donne diventiamo depresse e irascibili. Ti sentirai inadatta, non riuscirai ad alleviare il pianto del tuo bruchino. Lo attaccherai al seno, lontana dal padre che dorme, e nella grande hall dove da ragazzina giocavi a cavalluccio sulla groppa dei clienti, guarderai con sospetto quel piccolo succhiatore che per te è un gigante. Forse potresti non avere latte a sufficienza, o forse il tuo latte potrebbe essere tossico come sei tu. Per sbaragliare le trepidazioni, guarderai i documentari degli animali con i cuccioli, e ne invidierai la calma. La natura non ti sembrerà più equanime, per via di quel cervello tremebondo che ti è stato, a dispetto, azzeccato nel capo. E una notte, mentre sei lì con il bruchino piagnucoloso tra le braccia, ti potrebbe venire lo schiribizzo di scaraventarlo giù dalla finestra, per tornartene a dormire in pace, attaccata al dorso di tuo marito. Sarà solo un lampo, uno di quei lampi che scuotono il giardino nel buio. Tu non sei un'assassina. Al massimo, potresti buttarti tu dalla finestra, mai il tuo dolce bruchino. Però non te la sentiresti di lasciarlo orfano, non sei così irresponsabile. E allora, all'alba, per risolvere il dilemma, potresti catapultarti insieme a lui, dal grande terrazzo che ti ha vista per tanti anni volteggiare sui pattini a rotelle di tua sorella. Sono solo brutti pensieri, Manola. Ma i brutti pensieri sono già qualcosa. Qualcosa di veramente sciocco.

Devo essere più ottimista. Può darsi, infatti, che sfangato alla grande il primo anno di vita, e arrivati all'ambito traguardo delle pappe solide, il tuo bambino, intatto, ti guarderà come si guarda la madonna, e ti amerà come nessuno ti ha amata mai. Allora sarai libera di buttare addosso al suo piccolo corpo la piena dei tuoi sentimenti. Certo, ti resterebbe qualche pensiero. Se si tratta di una bambina, avrai paura che un giorno non lontano possa ingrassare come sua madre, perché magari quel giorno ti prenderà voglia di dirle bucintora, trippona, e un mucchio di cose carine: le stesse che hanno detto a te. Se invece resterà magra, il suo babbo avrà tante attenzioni verso di lei, verso il suo futuro da mannequin. Non potrai esserne gelosa, naturalmente. Sei sua madre. Però, cercherai di ingozzarla, per fartela somigliare un pochino. Sarà lei a costringerti a farlo, per quella sua inclinazione all'umorismo denigratorio, eredità femminile di famiglia. Le ragazzine, si sa, sono impertinenti... e non ti piacerebbe essere sbeffeggiata da una figlia adolescente che vuole compiacere il suo papino.

Ma perché dev'essere una femmina? Loro hanno un rapporto così complicato con le madri. Sarà un bel maschio, vivaddio. Tu sarai in menopausa, e non ci saranno in giro nuove, smaniose mestruazioni. Un bel maschietto, facile, diretto, che reclama a voce alta. Potrai legartelo a doppio nodo, lo sommergerai di baci e di morsetti, e giù smaneggiate al pipino. In cambio ne avrai tutte le carezze che suo padre non ti dà più. Ti piaceranno quelle piccole carezze sul viso gonfio, e sarai davvero commossa. Ma poi, con i primi pantaloni, troppo corti per le sue gambe improvvisamente troppo lunghe, comincerai a temere che lui, da un giorno all'altro, con identica rapidità, ti scopra per quella che sei, e la smetta di venerarti. Allora farai di tutto per trattenerlo nei pantaloni troppo corti, e lo sovraffollerai di premure. Al pomeriggio, per merenda, moltiplicherai le dosi di quella certa crema che a lui piace tanto. Non è che lo vizi, al contrario, lo difendi, perché un ragazzo grassoccio e brufoloso è meno appetibile di uno smilzo, per quelle smorfiosette con il pancino di fuori e il piercing all'ombelico, che hai visto affacciarsi vicino a lui sui banchi del ginnasio, e che, se non stai in guardia, molto presto gli faranno marinare la scuola per infilargli la linguetta in bocca ai giardinetti... E te lo porteranno via, e rideranno di te insieme a lui. Allora ti metterai a piangere, ti farai venire un mucchio di malesseri, pur di non lasciarlo uscire, nonostante abbia già finito i compiti. Dovrà restarti accanto, per accudirti. In fin dei conti te lo meriti. Sei sua madre, gli hai tolto la cacca dal sederino, e adesso è giusto che sia lui a fare qualcosa per te. Lui è un buon figlio e resterà. Resterà giusto il tempo necessario, perché quel piccolo grumo di odio verso di te, che talvolta (e se ne vergogna, poverino!) gli ruzzola nel cuore, maturi in un cocomero di odio urlato e senza ritegni. D'altronde è figlio di suo padre. Comincerà a imitarlo, com'è naturale. Ti denigrerà con gli amici, si vergognerà di te, ti allungherà qualche bel pizzardone, che sarai felice di ricevere, perché gli errori che una madre ha commesso è giusto che li paghi. Quando poi sarai più vecchiotta, e con un po' di fortuna anche vedova, il tuo bruchino ti imbucherà in un decoroso collegio per anziani, con le aiuole sempre fiorite. Tu non l'hai fatto con i tuoi genitori, ma lui lo farà, puoi giurarci. È un ragazzo risoluto, lui. E sarà piacevole per te, quando un filo di demenza senile ti sarà corsa in aiuto, sapere che lì fuori, oltre le grate, oltre il profumo di violaciocche, in quel mondo sterminato che sferraglia, c'è un tuo figlio che viaggia in cravatta.

Ma forse hai esagerato. Lui sarà migliore di tuo marito, avrà ereditato almeno un po' della tua clemenza e riuscirai a tenerlo. Ti sarà immensamente grato di tutto. E per dimostrartelo si farà massacrare di botte dal padre pur di difenderti, e schiferà le ragazzine col pancino di fuori. Avrà, invece, un mucchio di amici, dagli occhi spersi come i suoi, con tante belle mamme premurose come la sua. Sarai davvero soddisfatta del tuo ragazzo che continua a portarti le giuggiole la domenica, e a massaggiarti i piedi durante la settimana. Finché un giorno comincerà a dimagrire e tu, naturalmente, lo assisterai, con le cuffiette di cellophane sulle scarpe, nel reparto degli appestati. Spenderai in cure mediche tutti i soldi della tua dignitosa pensione di casalinga. Così, in una brutta mattina, all'alba, ti capiterà di sopravvivere all'unica persona alla quale una madre non può pensare di sopravvivere. Invece sarai sorpresa della tua vitalità. Imbambolata, marcerai in corteo, insieme a tanti cari ragazzi abbracciati e a tanti emofiliaci, con il fiocchetto rosso, ultimo regalo del tuo baby, sull'abito da lutto.

Manola, cosa ho detto? Non lo so. Ogni tanto mi blocco e scivolo lungo un imbuto così in fretta che poi non ricordo più nulla. Vado a farmi un bel caffè. Perché non riesco a fermare la testa, quando il mio corpo invece è così lento?

Comunque, il test di gravidanza è negativo, senza puntino. Meglio così. Poldo non vuole sentir parlare di bambini. Io credo che lui sia soltanto molto spaventato, è naturale, ha avuto un'infanzia problematica. Poi, nonostante che io, per non intossicarlo, mi sia guardata bene dallo spiffergli i miei pensieri a franata libera, sospetto che non si fidi troppo di me. Mi ha detto: «Tesoro, non sei in grado di badare nemmeno a una fettina impanata nella padella, come pensi di cavartela con un bambino nella culla?». Però ha intuito un mio desiderio. È andato di là, e quando è tornato mi ha sorriso. «Chiudi gli occhi, amore...» mi ha sussurrato all'orecchio. E, non appena ho sollevato la tendina delle palpebre, mi sono ritrovata nelle mani uno splendido stronzo, tutto arricciolato come una lumachina. Si stanno estinguendo, le lumache, dico. Mi si è aperto il cuore, m'è sembrato come un piccolo figlio. «Occupati di lui» ha detto il mio consorte.

Visto che stavo preparando le marmellate per l'inverno, ho infilato il fardellino caldo in un barattolo, facendo bene attenzione a non rovinare quel suo ghirigoro. Ormai è diventata una consuetudine, una gioia che si ripete ogni giorno. Poldo mi deposita nostro figlio tra le mani e io lo sistemo amorevolmente dentro la sua culletta di vetro. Ho la dispensa colma di quei barattoli. Ogni tanto mi chiudo lì dentro e li guardo, i miei bambini. In quelle lumache marron, vedo il mio matrimonio.

Ortensia

Manola, sono andata a fare l'esame bioelettrinime-trico. Vado incontro a un viaggio molto faticoso. Come lei sa, veleggerò tra i ghiacci, e mi correva l'obbli-go di informarmi sulle mie condizioni fisiche. Non sono più una bambina, e non posso ritrovarmi in alto mare con qualche problema. La traversata, fin nei minimi dettagli, va pianificata a terra.

Stamani all'alba, mentre provavo i razzi luminosi sul terrazzo per un eventuale sos marino, dietro le lenzuola stese ho incontrato mia sorella e devo dirle che ho fatto fatica a riconoscerla. Era immobile, con uno scopettone in mano, pietrificata come la bella statuina. I capelli, raccolti dentro una piccola rete di nailon, erano molto più scuri di quanto li ricordassi, lo sguardo era spento, e il viso grigiognolo come la sigaretta tutta cenere che le pencolava dalle labbra. Mi è sembrata una di quelle casalinghe delle sculture realistiche americane. Le ha presenti, Manola, quelle obese creature di cera con la capigliatura ripiegata nei bigodini, le ciabatte ai piedi, la vestaglia fiorata, che spingono un gigantesco carrello stracolmo di spesa, dove troneggia l'immancabile barattolo di Campbell's? Le ho chiesto: «Any, cara, dormi?».

«No, pisolo» ha risposto. «Ma puoi parlare, ti ascolto.»

«Come stai?»

È rimasta perplessa, appesa come la sua cenere. Poi ha biascicato: «Mi prendi in giro?».

«Certo che no.»

«Vuoi sapere come sto... Io?»

«Sì, tu.»

«Oh grazie cara, sto benone...» ha detto, tirando su col naso. «Sempre che ce la faccia a staccare dal soffitto quella ragnatela, s'intende...» ha aggiunto, spostando lo sguardo in alto, sul muro davanti a sé, con una certa preoccupazione.

«Posso darti una mano, se vuoi» ho detto. Avevo del tempo a disposizione. In ogni caso, i razzi luminosi di papy non ne volevano sapere di saltare in aria, si afflosciavano su se stessi emettendo una pernacchia sfiatata.

«Lo faresti davvero?»

«Sicuro.»

«Comunque non è questo il problema» ha detto, portandosi con infinita lentezza una mano sulla testa. «Il problema» ha detto, «è che non voglio togliere una casa a quel ragno.»

«Allora lascia stare» ho detto.

«Lo sapevo, mi prendi in giro.»

«Assolutamente no.»

«Allora, perché mi chiedi come sto?»

«Perché mi interessa, ma se vuoi mi rimangio la domanda.»

«Non capisci che io devo toglierla, quella merdosa ragnatela...» ha detto, riuscendo finalmente a infilare l'unghia del mignolo in una maglia della retina, per darsi una grattata alla cute.

Ho allungato una delle mie occhiate scettiche, in alto, sul muro. «Comunque non c'è nessun ragno, lassù» ho detto.

«Sì, ma tornerà. Tornerà e non troverà più la sua casa.»

«Se ne farà un'altra.»

«Cosa stai dicendo?» ha detto Any, con la voce rotta.

«Sì» ho detto, «potrebbe allontanarsi dall'albergo, e scoprire posti molto più fantastici di questo muro muffito, dove allocarsi con le sue bave...»

«Sei molto cambiata, Orty.»

«Anche tu, Any.»

Avevo tra le mani un razzo ben asciutto, forse era il caso di fare un ultimo tentativo.

«Non si butta via il lavoro di una vita, così da un giorno all'altro...» ha detto Any, mentre i suoi occhi cominciavano a bagnarsi, e sotto le lacrime sembravano ancora più mogi, come impermeabili inzuppati di pioggia.

Incurante del nostro battibecco, un grosso ragno gravido di uova aveva cominciato a risalire il muro.

«È tornato» ha squittito Any.

«Già» ho detto io.

«È una femmina, non possiamo pretendere che una femmina incinta si metta lì a sputare fuori tutta quella bava nuova... non possiamo pretenderlo...»

Ho acceso l'ultima miccia. Brucia in fretta, ho pensato, deve essere una buona miccia... non ho fatto in tempo a finire quel pensiero, Manola, che il razzo era già decollato a velocità incredibile. Il polvericcio della calce è sceso a imbiancare il capo di Any, che ha star-nutito più volte, non so se per la calce o per l'odore di polvere da sparo. Io e mia sorella ci siamo guardate, poi all'unisono abbiamo guardato in alto. Solo allora mi sono accorta che la traiettoria del mio razzo aveva interferito con quella del ragno gravido di Any, che adesso se ne stava spappolato sul muro, lui e tutte le sue uova. La ragnatela no, era ancora lì, pendula, solo un po' più canuta. Ho preso lo scopettone dalle mani di Any e ho tirato giù quella inutile tela.

«Vedi, le chiacchiere stanno a zero, gli eventi ci precedono» ho detto, rendendole lo scopettone.

Any è rimasta perplessa, rintronata come un pugi-le che ha incassato un pugno troppo voluminoso per il suo peso, stupefatta dalla mia risolutezza.

Prima di andarsene, mia sorella m'ha chiesto se ne avevo ancora, di quei miei razzi asciutti, e ha insistito per farsene regalare uno. «Potrebbe servirmi» ha detto, «per decidere le sorti di un'indecisione.»

L'ho vista filar via verso l'interno di soppiatto, co-steggiando la parete, come un topo. Quando ha rag-giunto il corridoio, si è fermata davanti alla dispensa, dove custodisce la sua nursery fecale. Era in contro-luce, e si carezzava il ventre. Un ventre davvero spropositato.

Allora ho deciso di portare Any con me, a fare l'e-same bioelettrinimetrico. Funziona che ti prelevano un po' di liquidini fisiologici, e poi ti dicono l'età corrispondente allo stato di salute delle tue cellule. Siamo state lì un bel pezzo sugli sgabellini di formica in attesa dei risultati. Any era di ottimo umore, dove-va aver bevuto parecchio. Ha cominciato a parlare della nostra infanzia, quasi appartenesse a un passato remotissimo. Sembrava una vecchia, e non voleva proprio saperne di tornare al presente.

Ci ha pensato l'infermiera, con l'esito delle analisi, a riportarcela. Stando alle rispettive cartelle cliniche, è emerso che Any ha settant'anni e io diciassette. L'ho vista molto depressa e, per tirarla un po' su, le ho detto: «Avranno senza dubbio scambiato le analisi». Any è scoppiata a ridere. «È vero» ha detto ridendo, «come ho potuto non pensarci?! Io sto benissimo...»

Ho capito che dovevo essere implacabile: «Cara» ho sussurrato, «chi reprime le proprie emozioni depressive, perché gli sembrano inaccettabili, è più soggetto alla degenerazione cellullare. Cancro, hai presente? E non è detto che sia un piccolo cancro pigro, come quello di mamy, potrebbe anche essere un grande cancro, un mastodontico cancro dinamico... Ti sei mai chiesta cosa nascondi dentro quell'immensa buzza?! Stai per avere un bambino, o cosa?».

Mia sorella si è rifugiata nella cappella della clinica. S'è piegata tra i banchi ed è rimasta in catalessi per un bel po' di tempo, con un sorriso scimunito sul grugno. Poi, all'improvviso, ha preso a strofinarsi le mani con forza. Sembrava che scacciasse ombre, come lady Macbeth.

Mentre ce ne tornavamo in albergo, l'ho esortata all'azione: «La prossima volta che tuo marito si libera sulla tua manuccia, prendi il mio razzo, posizionalo in rampa di partenza nel suo incontinente canale emuntore, e fallo esplodere. Rimandalo nel cosmo dal quale è venuto, quel tuo consorte non meglio identificato!».

197

Anemone

Ieri sera mio marito è rientrato per cena con un grazioso aggeggio. «Cos'è, un nuovo apriscatole?» ho chiesto. Lui non mi ha risposto, è normale. Com'è normale che una moglie accetti che il marito abbia i suoi piccoli segreti. Ma cosa vuole, Manola, la curiosità è donnola. Si stanno estinguendo, le donnole, dico. Così ho ripetuto la domanda. Allora Poldo ha indossato l'apriscatole come un guanto, e ho capito che si trattava d'un piccolo pugno di ferro, pieno di tanti graziosi spunzoncini, come un piccolo istrice. Si stanno estinguendo, gli istrici, dico. Ho beccato un colpetto sulla nuca. Non ho fatto in tempo a ripararmi. Per fortuna, Manola mia. È stata così romantica, quella notte di San Lorenzo con tutta la sua cascata di stelle che mi è piovuta in testa. È bastato un bagno acetico per farmi rinvenire. Mamy è stata previdente, ci ha lasciato in eredità tanto di quel suo aceto, che, da quel punto di vista lì, sono proprio coperta. Non sto piangendo! È l'aglio, sì, adesso anche l'aglio mi fa come la cipolla, strano...

Mi piacerebbe fare qualcosa di spirituale, anche se non so esattamente cosa... cosa sia lo spirito, dico. Però ho letto che invecchia più tardi. Adesso, quando metto il rossetto sulla bocca mi entra nelle rughe.

Non voglio piangere per questo, voglio trovare altro
Quando guardo le suore, penso che vorrei essere come loro, con quei visi lavati che non hanno paura di diventare anziani. Vorrei avere fede, la fede mi può aiutare. Purtroppo, non ho tempo per andare in chiesa, non ci si può avvicinare a queste cose di corsa. C'è bisogno di un tempo diverso... più interno.

Dentro tutto è più lento, fuori invece è tutto così veloce. Io mi sento sempre in controtempo, sento che mi sto rallentando. Allora mi impongo di farcela, corro appresso alle ore per cercare di fermarle. Inutilmente. Ritardata una faccenda, le successive cominciano a ritardarsi a catena. La mia vita mi sembra un tapis roulant, ingolfato di roba che continua a passarmi davanti, senza che io riesca ad acciuffare alcunché. Tutto mi precede. Poldo è piuttosto infastidito da questi miei ritardi multipli, anche se io faccio di tutto perché lui non se ne accorga. Mi direbbe di mettermi a dieta, direbbe che è il grasso a rintronarmi così. Manola, mio marito è così bene inserito nel tempo, sa sempre cosa fare, e come organizzarsi al meglio.

Sono i pensieri che mi distraggono... mi arrivano alla mente certe stupide cose di quando ero ragazza. Mi sembrano attimi. Solo troppo tardi, a coratella bruciata sui fornelli, realizzo che quel piccolo pensiero dev'essere durato almeno un'oretta.

Ieri, comunque, sono entrata in chiesa. C'era una grande calma lì dentro, e tutto si è fermato. Mi sentivo serena. Poi, mentre contavo i grani del rosario, mi sono incantata a guardare le mie mani... c'erano delle chiazzoline color caffè. Ho sofferto per quelle chiazzoline, e mi sono sentita in colpa per questo.

Gesù si è fatto di carne per salvarci, e io non pensavo che a me stessa, alle mie mani. Dovrei riuscire a non soffrire per la carne, ma non è facile, Manola... Forse non sono ancora pronta per lo spirito. D'altronde ho vissuto buona parte della mia vita da materialona; non ci s'inventa uno spirito, così, da un giorno all'altro.

Non mi dispiace affatto quando Poldo mi colpisce. Magari mi dispiace sul momento, ma dopo mi sento davvero meglio. Ho la sensazione piacevole di avere espiato il delitto delle coratelle bruciate. La verità, Manola, è che ormai mi addormento in piedi. Ce la metto tutta per resistere, non creda. Mi metto lì con la mia crestina, piena di energia e di buona volontà, ma all'improvviso sento il braccino che si fa molle: il mestolo cade nella pentola al rallentatore, io voglio fermarlo, ma non ci riesco. I gesti sono così faticosi, come se di punto in bianco, senza allenamento, mi trovassi a ottomila metri sul K2. Intanto il fondo si sta attaccando, sento un gran puzzo di bruciato. La mente è bella sveglia, ma il corpo pisola, come in una sorta di paralisi. Sento una vocina dentro di me che ordina: «Muoviti, Any! Muoviti, afferra quel mestolo!». Ma non riesco a muovere neppure un mignolo.

Mi addormento ovunque, sono sempre più stanca, e mi confondo. Mi sono sempre confusa, Manola, è nel mio carattere. Ma adesso è diverso... Mi sono tolta l'assorbente e non riesco proprio a ricordare dove l'ho infilato. Per fortuna c'è il gin, quello non lascia scie, è un bere pulito, quello. Io l'ho messo nel biberon, il gin, perché Orty dice che succhiare fa bene, ci restituisce un po' di affetto smarrito.

Ha notato, Manola, che gli animali migliori si

stanno estinguendo, e quelli insidiosi, invece, sono sempre più robusti. Le fognature pullulano di caimani e topi giganteschi. Forse torneranno anche i dinosauri, del resto non si è mai capito che fine abbiano fatto. Ortensia dice che sono solo proiezioni delle nostre paure inconsce, e che il demonio è dentro di noi, non altrove. Forse ha ragione. Però io ho paura di tutto: di un caimano quando siedo sul water, e di mio marito quando cucino. Mi basta sentire i suoi passi dietro la schiena, e già tremo. Quando si avvicina, con quel capo rasato, e il nuovo abbigliamento di tipo militare, mi sento come quel cinesino tutto solo davanti al carro armato.

Mia sorella dice che oggi gli attacchi di panico demotivato sono all'ordine del giorno. Dice che ho solo molta paura di morire, come chiunque. Ma, siccome non voglio ammetterlo, mi diverto a sminuzzare quella grande paura vergognosa, in tante piccole paure quotidiane. Dice che forse mi farebbe bene fare un po' di volontariato, perché l'altruismo è un'ottima terapia per se stessi. Penso che abbia ragione, solo che prima devo riacquistare un po' di forze. Per adesso fatico anche a lavarmi, e invece ne avrei proprio bisogno. Mi sono spuntati fuori tanti di quei peli. Ho paura che le ascelle comincino a puzzarmi...

Fortunatamente, pare che abbiano scoperto una piccola parte del cervello delle lucertole, il locus coeruleus, che sarebbe responsabile della paura. Pare che asportando questo cicinin di materia grigia, le lucertole si trasformino diventando delle placidone, non scappano neppure davanti a un gatto famelico. Che ne dice, Manola, potrei farmelo togliere anch'io un po' di grigio nella testolina?

Ortensia

Sto studiando le mappe del geografo Pitea di Marsiglia che nel 325 avanti Cristo raggiunse le terre più a nord, dove la notte dura solo due ore, e da quelle parti sentì parlare della terra estrema di Thule, ma non riuscì mai a raggiungerla. Io ci riuscirò. Dopo tanto buio, mi alletta questa faccenda della luce perpetua. Purtroppo, però, mi sono trovata costretta a rimandare di qualche giorno la partenza. In albergo c'è un tale bisogno di me, che non me la sono sentita di abbandonare Any in queste condizioni. Ho trovato giusto il tempo per qualche lampada abbronzante. Non posso imbarcarmi così bianca: rischio l'ustione globale. Poi, visto che c'ero, nel salone di bellezza, mi sembrava scortese non assecondare l'ardore della giovane parrucchiera che insisteva per i colpi di sole. Come sto bionda?

Anemone è afflitta da "sindrome da affaticamento cronico". Il suo rapporto con la serotonina è estremamente conflittuale. Subisce attacchi – sempre più incalzanti – di narcolessia. Rifiuta la realtà, Manola, e per sfuggire a se stessa si appisola, senza ricevere alcun ristoro. Si blocca in uno stato di catalessia, ma la sua coscienza resta sempre all'erta. È terribile.

Non so cosa le accade dentro, ma fuori puzza. Speriamo che, almeno, stia finalmente spurgando qualche tossina.

Poldo, invece, profuma, s'è smagrito. Nelle coppie avvengono di questi inaspettati travasi. Mi dispiace però che in questa fase sia mia sorella ad avere la peggio. D'altra parte è naturale. Gli uomini, invecchiando, diventano più curati, cominciano a cercare apprezzamenti dall'esterno. Quando al mattino ci incontriamo nel bagno, il mio ex mi chiede sempre se lo trovo ancora un bell'uomo. Manola, devo ammettere che ultimamente s'è rimbelloccito. Purtroppo, mi fa ancora un certo effetto trovarmelo accanto nello specchio, che canticchia la *Butterfly* mentre si rade. Con me è molto gentile, pieno di piccole premure. Credo che anche Any gradirebbe qualche apprezzamento dall'esterno, ma davanti a lei persino Grogo storce il becco.

Ieri l'ho trovata immobile, che leggeva un libro su una dieta ayurveda. Sulla copertina c'era una magrissima donna indiana, di quelle contente sia fuori che dentro. Quando mi sono avvicinata, Any ha detto: «Mi sento una grossa vacca bianca». Poi mi ha chiesto se secondo me ce l'avrebbe fatta, a diventare come l'indiana. Le ho detto di lasciar perdere.

La verità è che si desidera sempre ciò che non si ha. Io comincio ad accettare la mia carne. Ho detto ad Any di fare altrettanto con la sua, e lei mi ha guardato con gli occhi tristi. Manola, mia sorella nega costantemente il presente, e siccome sa che io sono un archivio ambulante, mi inchioda ore e ore a rivangare certi stupidi ricordi, sperando che le restituisca le tessere mancanti del suo puzzle. Ma sono davvero troppe, Manola. Mia sorella non s'è mai soffermata sugli accadimenti, e adesso è difficile, per lei, rincollarsi tutta. Esce da queste sedute rintronata, pensi che ieri ha sistemato un assorbente usato nel freezer, accanto ai filetti.

Sinceramente non credo che Any possa trarre vantaggio da questa opera di scavo. Anzi, è peggio: la intasa di pensieri troppo grandi per lei. Devo ammettere che comincio a nutrire seri dubbi, sull'utilità dell'archeologia psichica. Sono reticente a parlarne con Lucianella. Non voglio darle un dolore così grande. Però, da qualche tempo, sto diradando le mie visite.

Ho consigliato a mia sorella di concentrarsi su piccole cose. Per esempio di pensare solo al lavorio dello spazzolino, mentre si lava i denti. Ma Any ignora la sua dentatura, che un tempo era davvero prodigiosa. Comincia ad avere una notevole produzione di funghi sotto gengiva, eppure siamo fuori stagione. Poldo invece usa il collutorio al ginepro. Ho detto a mia sorella che non è accettabile trascurarsi così: la cura della bocca è importante. Manola, concentrarsi è decisivo. In un piccolo gesto c'è il senso di tutto, non serve avere grandi pretese. Lo sterminato equivale al nulla, bisogna accontentarsi di una via di mezzo, d'altronde siamo poveri umani.

Io mi accontento. Grazie a questo minuscolo procedere, sto realizzando cose. Ho vinto al lotto. Sono passata davanti alla ricevitoria e ho giocato. Terno secco, niente male. Manola, purtroppo, al giorno d'oggi la vita è retta dalla fortuna, non dalla saggezza. Ma la fortuna si fa sempre restituire ciò che ha dato. Ho detto a mia sorella: «Any, chi è consenziente, il fato lo conduce, chi non lo è, lo trascina. A te ti trascina, c'è poco da fare. Bisogna che ti dai una svegliata. Non devi sperare nel miracolo, devi compierlo. Ferma quel tuo cancro, sei ancora in tempo per farlo». Le ho consigliato di infilarsi una tuta da ginnastica, e di correre urlando. Si è bloccata a bocca aperta, accanto a una statua in giardino...

Poldo, al contrario, è estremamente energico, dinamico, socialmente impegnato. Certo, ha subito notevoli cambiamenti. Ostenta un capo levigato, e una grossa croce uncinata tatuata sulle natiche. Si è spostato in borgata a fare volontariato epurativo: ce l'ha su con i tossici, i neri, i viados, i rom, le casalinghe. Gonfia Any di botte. Gli ho detto: «Scusa Poldy, non ti riconosco più, noi siamo sempre stati molto a gauche. Ti ricordi che durante quel nostro fine settimana parigino tu ti rifiutasti di attraversare Pont Saint-Michel perché non volevi toccare la rive droite?». Mi ha risposto che arriva sempre il giorno in cui bisogna attraversarlo, il ponte. Sono rimasta perplessa.

Nella vita, Manola, avvengono inaspettate mutazioni. Io, per esempio, ho smesso di fare volontariato negli ospizi. Sono stufa di tanta ingratitudine. Chi l'ha detto che invecchiando si migliora? Mica siamo vino, noi. E comunque anche il vino va in aceto. Non è affatto vero che i vecchi sono tutti buoni. Con molte probabilità, se da giovane eri un bastardo, evolverai in un bastardo vecchio che disprezza la gioventù.

Manola, sa qual è la differenza tra un vecchio e un giovane? È quella che corre tra un può e un deve. Un giovane può morire, per un incidente da post-discoteca, un'overdose, o un cavolo di virus; mentre un vecchio deve morire, che è tutta un'altra cosa. È osceno parlare della vecchiaia in questi termini? Forse sì, ma io ho bisogno di sincerità. La mia generosità, il mio affanno verso le pene altrui, nascevano dalla voglia di sentirmi imperiosa, ero in competizione con Dio. Manola, ho scoperto che per crescere serve essere inclementi, con se stessi, certo, ma anche un po' con gli altri.

Adesso, al sabato, passo davanti all'ospizio "Solo Andata", e tiro dritto. Mi fermo più giù, in prossimità di un capannone industriale che certi simpatici ragazzi hanno riattato con estro.

Anemone

Ortensia è molto cambiata, Manola. Adesso, al sabato, va in discoteca: balla sul cubo. Si comporta come un'adolescente di oggi. Si alza alle due del pomeriggio, e scende per colazione in guêpière. Mi rendo conto che deve recuperare tutti gli anni persi a tormentarsi sotto le palandrane di cotonone nero. Inoltre è nubile e può fare quello che vuole. Ciò non toglie che è abbastanza patetico vedere una topa vecchia su di giri. Io penso che una donna a una certa età dovrebbe imparare un po' di decenza: «C'è mio marito in giro, non sta bene, maiala, non sta bene!». Lui, Poldo, è sempre lì, che scodinzola dietro a lei, d'altronde hanno sempre avuto una grande complicità, loro. Mi viene una rabbia, vorrei buttare all'aria tutto l'albergo; ma naturalmente non posso per via delle mie paralisi. Mi domando perché Ortensia non si sbrighi a partire...

Manola, per carità!, non voglio allarmarla, tutto procede. Il mio viaggio personale, intendo. Non sempre a gonfie vele, ma procede. Nessun matrimonio può contare solo su un piattume da bonaccia. Ogni tanto c'è qualche burrasca. L'importante è essere fiduciosi, e aspettare, con le mani annodate sotto un santino, che il bollettino meteorologico ci dica che è tornato il sereno.

Anche dal punto di vista della navigazione sessuale, tutto in ordine. Certo, i rapporti si sono un po' diradati, ma questo è normale, alle coppie sposate succede, l'amore si trasforma... diventa più ragionevole. La passione così com'è arrivata, scompare, come l'influenza. È tutta una questione di ormoni. La natura è previdente. La dopamina cala... cala... cala... una meraviglia! Il tuo sposo si avvicina bardato da granatiere e tu pensi: "Oddio, non vorrà mica farlo?!". E subito parte la bombetta d'angoscia, la tachicardia a mitraglia. Sa com'è, la libido sessuale tende a dimagrare nei depressi. Non che io sia depressa, figuriamoci! Poi, per incanto, ti accorgi che anche lui prova lo stesso terrore a immaginarti, così botolona, nuda sul letto. Si è accostato alla sua soldatessa vivandiera solo per riempire la gavetta con la coratella, che lei sta cercando disperatamente di portare a buon fine. Niente paura, puoi tirare un lungo sospiro di sollievo.

Diciamoci la verità, Manola, nel sesso, come nella vita in genere, da un certo momento in poi bastano i ricordi. Voglio dire, sai talmente bene cosa succederà di là: per quanto ti riguarda, i preliminari si salteranno, ma dovrai comunque ciucciarglielo per tre quarti d'ora senza esito alcuno, poi lui si travestirà da crocerossina, eccetera, eccetera. Che bisogno c'è di farlo? Superata la fase del turpiloquio e del materiale porno-bellico, non c'è più alcun motivo di restare lì, nudi bruchi, scervellandosi per cercare qualche diversivo. Bisogna smettere, e basta.

Certo, il sesso all'inizio della traversata matrimoniale può rivelarsi maledettamente utile, ti può far scoprire cose che altrimenti resterebbero celate. La polvere, per esempio. Quella bella polvere, spessa come ovatta, che s'annida ovunque. Sapesse quanta ne ho stanata facendo l'amore con mio marito... Non vedevo l'ora di farla finita per correre finalmente a scopare. Ma da un certo momento in poi, il sesso distrae dalle faccende domestiche.

Ricordo l'ultima volta che è successo: sono lì prona sul letto, nuda il necessario, Poldo ha avuto un raptus improvviso, nonostante io abbia il bovino nella pentola a pressione, e i panni a mollo. Per sbrigarmi, chiudo subito gli occhi. Tutte le mogli sanno che in certe occasioni il partner coniugale distrae, ed è preferibile ignorarlo. Comincio a inseguire con foga la fantasia erotica che più mi stuzzica, perché anch'io, Manola, come ognuno di noi, ho i miei canali di accesso rapido al piacere.

Sogno di avere innanzi a me un medico premuroso, un clinico, che mi palpa la pancia, mi ausculta il dorso, e mi sussurra all'orecchio: «Una mela al giorno...». Intanto cava fuori dalla tasca del camice immacolato una grossa mela, e me la offre dicendo: «Tieni, porcona, divora il frutto proibito!». Io, riconoscente, affondo le labbra in quella polpa succosa, sento che mi si scioglie in bocca. Allora anch'io mi sciolgo. Tra breve potrò godere. Ma ecco che sul più bello la pentola a pressione comincia a fischiare, fischia, fischia maledettamente! Il brodo, all'interno, è lava vulcanica, la lingua del bovino è lingua rubizza di fuoco. Devo andare a spegnere il gas. Devo andare a spegnere il gas! Ma non riesco a muovermi, come sempre. Però, stavolta, è il peso corporale di mio marito che mi immobilizzza.

«Ti prego, Poldo, fa' il buonino, sbrigati!»

Inghiotto voracemente il morso di mela che ho in bocca: devo fare in fretta. Il dottore tenta d'ingozzarmi, ma adesso il frutto proibito è diventato aspro e duro, mi va di traverso, non riesco proprio a mandarlo giù, comincio a tossire, mitragliando con bossoli di polpa il granatiere Poldo. Un boato assordante fa traballare il belligerante talamo. Mio marito ha raggiunto l'apice? No, è esplosa la pentola a pressione. Il colpo di cannone ha inondato la cucina di una purea di brace che corrode le pareti e cola in basso verso di noi. Sono avvolta da un vortice di fumo, mi manca il fiato, tossisco sempre più forte, soffoco. La fagiana, in basso, stramazza, diventa dura e impenetrabile come una lastra di ferro. Poldo, per fortuna, non se ne cruccia, è così assorbito dalla sua fantasia erotica che non si accorge della mia ferrigna rigidità vaginale. Semplicemente si sposta verso il termosifone e comincia a darsi da fare con quello.

Il fumo si dirada, il fuoco tace: riprendo fiato. Clemente, la guardia medica, si avvicina di nuovo: «Tieni, porcona, mordi il frutto proibito!».

«Ma quale frutto proibito?» grido. «Dammi un po' di fernet, invece. Non lo senti che l'acqua sta straripando dalla vasca? Si è intasata. Lo sapevo si è intasata...» No, non è la vasca. Sono scoppiate le tubature. Poldo, nella foia, ha divelto il termosifone. Boccheggio. Sto affogando... Manola, affogo!

«Poldo, amore, chiama l'idraulico!»

«Sono già qui» dice un signore tutto nudo, con lunghi capelli color miele, e una cassettina di attrezzi sottobraccio. «Sono il sogno erotico di suo marito, posso darle una mano, se lo desidera. Quel suo internista non mi sembra un granché, sinceramente...»

«L'idraulico!» grido. «Amore, siamo salvi, abbiamo l'idraulico...»

«Sì» urla Poldo, «l'idraulico! Godooo!»

Poi, il mio ospitale coniuge si accorge del clinico smarrito in mezzo a tutta quell'acqua: «Dottore, venga anche lei...» sussurra, «porti una barella per mia moglie...». In quanto a quel frutto proibito, lo dia a me, ci penso io.»

Orty dice che devo fare un miracolo, lei sa un mucchio di cose. Ma come posso fare un miracolo, Manola? Ogni tanto ci provo, con l'acqua – dico – cerco di trasformarla in vino. Mi piacerebbe che dal rubinetto della cucina uscisse barolo, ma purtroppo non so fare miracoli.

Ortensia

C'è aria di crollo, tra Anemone e Poldo. Crollo, ine-
sorabile, della libido. Manola, pare che, da un certo
momento in poi, i coniugi abbiano voglia di farlo con
tutti e con tutto. Perfino il bidone della rumenta può
diventare più appetibile del legittimo consorte. Comincio ad apprezzare il mio stato sociale di spaiata: da
che Poldo, e in contemporanea Any, mi hanno abbandonata, per me tutto ha funzionato meglio. Ho stretto
il vento e me ne sono andata tutta soletta di bolina.
Voglio partire al più presto.

Ieri sera, mentre stavo uscendo per andare a
sgranchirmi le gambe in discoteca, ho visto Any sola
nella sala tv, con il plaid sulle ginocchia, che seguiva
con interesse un'inchiesta sul matrimonio. Mi sono
trattenuta qualche minuto.

L'intervistatore – che esibiva una massiccia fede
sull'anulare della mano sinistra – ha chiesto con professionale palpitazione a un signore dall'aria distinta:
«Perché, signore, quando torna a casa dopo la sua
giornata lavorativa non saluta nessuno, mangia in silenzio e si addormenta in salotto? Eppure lei è un
uomo sposato...».

«Appunto. Trovo la mia poltrona molto più accogliente, più calda, e infinitamente più erotica di mia moglie» ha risposto l'uomo carezzando il bracciolo di pelle.

«E lei, signora» ha chiesto l'intervistatore, rivolgendosi alla moglie, «perché va a letto con la faccia spalmata di unguento placentare?»

«È semplice» ha risposto la signora, «voglio mantenermi. Le donne, è risaputo, sono più longeve degli uomini: quando resterò vedova di questo (indicando il marito sulla poltrona), ho intenzione di rifarmi una vita.»

«Anche sessuale?»

«Soprattutto sessuale» ha risposto garbata la gentildonna.

Any ha spento il video, poi ha rivolto il telecomando verso se stessa. «Tesoro» le ho detto, «ora vai a letto. Prova a dormire supina, stanotte, ti farà bene. Per qualunque cosa ti lascio l'iguanuccia.» Ho preso le chiavi del sidecar e sono uscita con Grogo, che è un formidabile ballerino.

Sono rientrata a notte fonda. Davanti alla tv c'era Poldo. Guardava gli spogliarelli videoamatoriali con la lingua attaccata allo schermo. Sì, Manola, mio cognato non lecca più Anemone... ormai lecca il televisore. Gli ho detto: «Scusa, Poldy, ma perché te la sei sposata, allora?».

«Non era così» mi ha risposto, continuando a leccare, «era molto pacchiana, maiala, eccessiva, con quei seni e quel deretano sempre basculanti, il trucco carico, i labbroni tumidi, i capelloni decolorati: sembrava un trans. Era perfetta per me. Lo sai che io sono un uomo assai complesso e fantasioso sia intellettualmente che sessualmente. Mi garbava avere accanto questa femmina feticcio: lei rappresentava il travagliato femmineo che è in me, poteva essere utile per i miei studi, oltre che ricreativa. Invece mi ha tradito. Ha perso tutti i connotati, trasformandosi in una matrona tremebonda, grassa senza essere salda. Inutile nasconderlo, io sono molto, molto irritato con lei. Non posso concedergliele, queste complicazioni, questi lacrimoni. È sub-cretina. E alle sub-cretine è concessa soltanto la felicità. Anemone è la classica moglie aggressiva-passiva, che camuffa la sua aggressività con atteggiamenti ricattatori di abnegazione servile. Io ho sposato una sgallettata, e mi ritrovo accanto una moglie pietrificata, con un sorrisetto stralunato da pittimona-vittimona. Non la sopporto, e non mi resta altro da fare che prenderla a cazzotti.»

Onestamente, Manola, non ho grandi rimproveri da fare al mio ex fidanzato. Mi rendo conto che in ogni matrimonio riuscito la confidenza degenera subito in abuso. Ma non capisco proprio che bisogno ci sia di metter su famiglia. La famiglia non è una necessità interiore dell'uomo. Al massimo è una necessità degli psicanalisti, che senza famiglie da demolire andrebbero per funghi. Eppure, nonostante i cazzottoni, tutti finiamo per cascare in quel merdoso sentimento di appartenenza, che ci circuisce e ci fa venire il gruppo alla gola, appena riconosciamo una puzza familiare fin dall'infanzia.

Mentre Poldo parlava, ho accavallato le gambe sul divano, e lui mi ha guardata intensamente. S'è rinfilato la lingua nella bocca ed è andato verso il mobile bar. Ha tirato fuori una bottiglia di champagne e due calici, poi è venuto ad acciambellarsi accanto a me. Oltre la grande vetrata, albeggiava. Le prime tremule luci sbiancavano le fronde degli alberi, e scivolavano sui nostri volti, segnati dall'insonnia. Any, incurante delle mie raccomandazioni, dormiva in piedi, nel banco della concierge, accanto alla grande clessidra di mamy.

«Orty...» m'ha detto Poldo, porgendomi un calice spumeggiante, «voglio farti perdere la testa...»

Un brivido m'è corso lungo la schiena... un brivido bollente. Il desiderio, troppo a lungo represso, infiammava i nostri corpi. Poldo aveva gli occhi rossi. I suoi labbri penduli tremavano, allupati. Mi è saltato addosso, per rimestarmi tutta con bramosia. Le sue mani sudavano sulla mia pelle. «Ortensia, quanto sei polposa, chi l'avrebbe mai detto che nascondevi tutto questo ben di dio! Che cosce... che seni... che natiche... Ti voglio, Ortensiuccia, ti voglio!»

Oh, delirio d'amore! Ora avremmo potuto ricominciare insieme, riprendere tutto da dove si era bruscamente interrotto: le nostre chiacchiere culturali, la posizione del grillo. Intanto Poldo frugava tra la mia biancheria. Calma, ingordo, calma! Avevo voglia di prendere il suo capino tra le mani e tenermelo stretto sul grembo e piangendo dirgli di sì, che lo avevo perdonato, e che non avevo mai smesso d'amarlo. «Cosa vuoi?» ho ansimato. «Vuoi sposare me?»

«No» ha detto Poldo, tra le bave, «io sono già sposato, saremo amanti. Ci incontreremo in segreto nella dispensa, sarà terribilmente erotico.»

Amante!, Manola, amante! Quella parola deliziosa risuonava nella mia mente stordita: Ortensia l'amante, come le grandi eroine della letteratura. Ho ingollato il calice colmo per brindare al boccaccesco futuro che avanzava insieme alla luce di quel nuovo giorno, ricacciando indietro le ombre della mia lunga notte. Avrei ceduto, mi sarei lasciata divorare dall'ingordigia di Poldo, che adesso affondava la sua prodigiosa lingua nelle mie licenziose fauci. Nelle anse del suo palato, c'era, nonostante il tempo trascorso, un retrogusto di peperoni e acciughe, risalente dal cingolo esofageo. Poldo non mi aveva mai dimenticata.

Sono tornata indietro a quel primo bacio in rosticceria, al mio pezzo di bianca, con tutta la sua problematica sessuale. Non avevo cenato la sera avanti... Ho sentito un languorino nello stomaco, e il rimpianto di avergliela ceduta, quella pizza. Ora me la sarei volentieri ripresa. Poldo continuava a slinguazzarmi, ma io ero persa nei miei pensieri. Appresso alla bianca, ho cominciato a rimpiangere di avergli dato molte altre cose, che non si era mai premurato di restituirmi. Il pongo, per esempio. E il mio cuore. D'un tratto, forse a causa del bere a digiuno, quel sapore di peperoni e acciughe mi stomacava.

Ho puntato i piedi contro la buzza di Poldo, e ho spinto con tutta me stessa per estrarre la sua lingua trisulca e patinosa dalla mia cavità superiore. Il mio ex è fuoriuscito a tappo, caracollando in terra. Manola, quello stappo mi ha restituito una grande leggerezza. Mi sono rizzata in piedi e ho gridato: «Metti giù le zampe, impotente botolone extraterrestre! Io sono una superstite! Con il tuo spropositato calibro, tu hai attentato alla mia vita durante i simil-amplessi. Io ho sopportato stoicamente il tuo tanfo preistorico...».

Poldo, stordito come un bimbo ridestatosi all'improvviso, ha sussurrato: «Orty, amore.. non puzzo più».

«Sì, ma hai puzzato a lungo.»

«E sono molto dimagrito.»

«Sì, ma sei flaccido.»

«Amore, farò dello sport» ha detto, cercando la risalita lungo il mio corpo, disteso sul divano. Io guardavo fuori. Poldo mi ha acchiappata per il mento, storcendomi il collo nel tentativo di riportarmi a sé. A quel punto si è sparato l'ultima cartuccia.

«Ti faccio giocare all'infermierina, ti lascio fare tante belle punturine. Lo so che ti piace...» mi ha sussurrato all'orecchio. Era ormai giorno. Grogo si è affacciato sulla porta, sorseggiando una tazzina di caffè. «Serve qualcosa?» ha chiesto, lanciando in giro una delle sue occhiate maliziose. «No, grazie, caro» ho detto. Grogo s'è allontanato, soppesando con il becco, il dissoluto odore che ristagnava nell'aria.

Poldo ha chiuso la porta alle spalle del mio sospettoso turkey. Si è diretto verso il centro della stanza. Guardandomi dritto negli occhi, si è slacciato la cinta, e lentamente ha lasciato scivolare i pantaloni lungo le gambe. Senza mai perdermi d'occhio, si è voltato e piegandosi su se stesso ha offerto alla mia voluttà le sue rotondità posteriori. «Colabrodami il deretano, caposala Ortensia!» ha gridato. Ora piangeva. Tra le lacrime, le sue iridi chiare sembravano ninfee portate dall'acqua.

Era una prova d'amore spropositata, lo sapevo. Durante il nostro rapporto, aveva sempre voluto farla lui, l'infermiera. Volevo correre a prendere il mio siringone. Mi sono sentita mancare... in trance ho fatto qualche passo. Fuori, il sole era sorto: cominciava, per me, un nuovo giorno. «*No, mad doctor*» ho detto, e piangevo anch'io, «copriti il sito posteriore. Io sono un'altra donna, non ho più alcun interesse verso l'infermeria e tutto il suo corollario!»

Anemone

Stamani mio marito è stato molto affettuoso con me. Ha voluto preparare lui stesso la colazione. Mi ha dato persino un bacio. Sulla fronte, ma me l'ha dato. Sono rimasta sorpresa. Non doveva aver dormito troppo bene, aveva le occhiaie e un alito d'acciughe. Io, invece, ho dormito benissimo, Manola. Mi sono messa davanti la clessidra di mamy e ho pensato solo alla sabbia.

Dovevo andare all'ospedale e mio marito ha insistito per accompagnarmi. Così ci siamo infilati nel sidecar di Orty e siamo partiti. Manola, è stato il viaggio più bello della mia vita. Poldo era lì che svolazzava accanto a me. Avevo la borsetta sulle ginocchia, gli occhiali da sole sul naso, il foulard in testa: eravamo una coppia. Mi sono voltata per specchiarmi dentro una vetrina. Ho pensato alla scia che lasciavamo, mi sarebbe piaciuto che di noi due insieme non rimanesse altro che quella scia.

Mi sono tornate in mente le parole di padre Starostra: «Finché morte non vi separi». Eravamo così felici che potevamo anche morire. Sì, insomma, mi sarebbe piaciuto schiantarmi con il mio amore, come i miei genitori. Ho cominciato a guardare con fiducia i Tir che venivano verso di noi, sulla corsia opposta. Ero tentata di buttarmi addosso a Poldo per girare il manubrio di quel tanto necessario. Ma mio marito ha le mani salde. Manola, le chiedo: c'è davvero bisogno d'invecchiare?

Siamo arrivati sani. Salvi, no. La salvezza non è di questo mondo. E, forse, io non sono neppure così sana. Comunque siamo arrivati. Poldo mi ha aperto lo sportello, poi abbiamo preso un gingerino dentro un bicchiere di plastica nel bar dell'ospedale. Nella sala d'attesa c'era una vasca di pesci rossi. Esercitano un'azione rilassante, Manola, perciò gli oncologi li mettono bene in vista.

Il dottore ci ha accolto come vecchi amici. «Piacere» ha detto, «dottor Zinzar, serbo dalla nascita.» Aveva una maschera sul volto, non di garza. Era una bella maschera carnevalesca di cartapesta, con un gagliardo naso nero. Mi ha fatto subito una grande simpatia. Io ammiro le persone che hanno voglia di divertirsi anche sul lavoro. Poldo si è subito interessato alla maschera per via dei suoi studi sull'evoluzione del costume.

Zinzar gli ha dato ragguagli. «È la maschera del dottor Balanzone, che indosso per creare uno schermo tra me e chi viene a farsi visitare. La professione richiede distanza. Il mondo emozionale del paziente non può entrare in contatto con il mio. Il medico si deve salvaguardare. In parole povere, io sono un archetipo. Io sono "The Doctor".»

Poldo è rimasto molto colpito dai modi stravaganti del dottore. Io pensavo ai pesci. Zinzar mi ha fatto spogliare e poi mi ha visitata. Mi vergognavo del mio corpo, perciò ho tenuto il reggiseno slacciato sul petto. Le bretelle non erano così pulite, e ho avuto paura che Zinzar se ne accorgesse. Quando mi sono rivestita, "The Doctor" ha detto che avrei dovuto infilarmi tutta in un sarcofago per fare i raggi. Io gli ho detto che ci avrei pensato. Lui ha detto che non c'era più tempo per pensare. Detto tra noi, Manola, non ho alcuna voglia di infilarmi in un sarcofago.

Zinzar poi ha voluto rassicurarmi. Così mi ha raccontato che quel polpettone di cellule sceme che ho nella pancia potrebbe essere di origine psicosomatica, dal momento che, oggi come oggi, ogni disfunzione può essere indotta. Zinzar ha concluso che, forse, potrei guarire a patto di capire cosa desidero veramente.

Non sapevo proprio cosa tirar fuori. Il dottore, sottovoce, ha insistito dicendo che è impensabile non avere desideri, perché tutti ne hanno.

«Io, signora, facendole queste domande rischio. Qui nell'ospedale sono considerato un sovversivo, mi spiano. Ho i microfoni dappertutto...» ha detto staccandone uno da sotto la scrivania, e spernacchiandoci dentro. Vista la gravità della situazione, per non deluderlo ho cominciato a pensare seriamente a qualcosina. Allora mi è tornata in mente la faccenda della gravidanza. E nonostante la presenza di Poldo, mi sono fatta coraggio.

«Forse mi piacerebbe avere un figlio» ho detto.

Poldo si è irrigidito. Temevo che mi colpisse. Ma poi ho pensato che davanti a estranei non l'ha mai fatto, perché lui sa come comportarsi. Però si è alzato, e ha cominciato a girare in tondo nella stanza. Il dottore si è arrabbiato forte. Con me, naturalmente.

«Stronzate» ha detto, «si rende conto cosa vuol dire una gravidanza nelle sue condizioni?»

«Forse potrei guarire» ho replicato, cercando i suoi occhi nei buchi della maschera.

Zinzar, irritatissimo, si è infilato un bisturi sotto la cartapesta per grattarsi la vera pelle e poi ha tirato fuori la storia di quella donna incinta ammalata di cancro, che ha preferito non curarsi per salvaguardare la vita del figlio.

«Le sembra giusto, signora?» ha detto.

«Non lo so se è giusto... però, mi sembra bello.»

«Ah, le sembra bello?!»

«Morire per dare la vita, dà un senso alla vita... È poetico...»

Sapevo di aver esagerato. A parlare di poesia, dico. Ma m'era venuta fuori così, quella frase. Ci sono cose che sputiamo fuori senza volerlo, ma che poi ci piacciono.

A Zinzar invece cominciavo a non piacere affatto.

«E il primogenito, quello già spigato, con qualche brufolo e qualche minzione notturna, quello rimasto orfano per colpa del delirio d'onnipotenza della madre, quello, dunque, le sembra meno poetico?!»

«No, mi fa molta pena...»

«Voi donne, vi sentite il centro di tutto, pensate solo alla poesia, e mai alle conseguenze. Mi rifiuto di credere in Dio, solo per questa ragione. Un Dio intelligente non avrebbe mai affidato la continuità della vita nelle mani di creature così instabili!»

Poldo intanto era tornato a sedersi. Zinzar, ormai incurante dei microfoni, si è lasciato andare. Con un salto è zompato sopra la scrivania e, indice puntato contro di me, ha tuonato: «Confessi: lei è un'emissaria dei servizi segreti clericali! Lei è una fervente sostenitrice della bioetica...».

«Io non so nemmeno cosa sia questa etica biologica. Comunque, non amo i conservanti, se è questo che vuole sapere...»

«Risponda: dove comincia la vita?»

«Dentro di noi...»

«Quando? Quando?»

«Quando Dio lo vuole.»

«Intende dire, signora, che ogni volta che mi tiro una sega, uccido milioni di esseri umani?»

«Spero di no...»

«Allora io per lei sono solo un criminale realista, serbo dalla nascita...»

«Non mi permetterei mai.»

Zinzar si è voltato di spalle per asciugarsi in santa pace il sudore del volto che grondava sotto la maschera. Poi è tornato a guardarmi, infiacchito: «Allora, non dica idiozie, e pensi a un desiderio senza poesia, piuttosto che al sacrificio».

«Io non desidero nulla» gli ho detto.

«Allora crepi» ha detto.

Andandomene ho sradicato l'acquario, per portarmi i pesci rossi in albergo. Adesso stanno sul tavolo di cucina, e passo intere ore con gli occhi appiccicati al vetro. Mi incanto. Manola, lo ha mai visto un pesce da vicino, con le scaglie luccicanti, le barbette anemiche? Lo ha mai visto un pesce, che ti guarda negli occhi? Io mi sento esattamente così: un pesce che gira su se stesso, inseguendo il bagliore della propria ombra. Ortensia sostiene che boccheggiare come un pesce è terapeutico, è un acting di bioenergetica legato alla suzione. Ha detto che quando arriverà sulla sua isola, mi spedirà, tramite corriere, altri pesci meno banali. Le ho detto che a me bastano questi.

Sono senza suono i pesci lì dentro, piccoli e senza suono, e battono la testa contro il vetro. Poldo se li voleva mangiare come antipasto, ma io mi sono ribellata: «Piuttosto friggi me». Lui ha ribattuto: «Non abbiamo olio a sufficienza, psicolabile!». Non è stupendo, Manola? Adesso mio marito prende in seria considerazione il fatto che anch'io abbia una sfera psichica!

Ortensia

Partirò, ormai ho deciso. Any dovrà vedersela da sola. Le lascerò tutta la mia vincita al lotto, per pagarsi le cure mediche, tanto non credo di servirle più. Anzi, credo che la deprima, vedere me, il pipistrello dell'albergo, così ben messa. So quello che prova. So cosa vuol dire avere accanto una persona di famiglia più fortunata di te. Anch'io ho bisogno di tante cose, in fin dei conti nasco ora. Voglio andare incontro al mio futuro senza ancore, Manola, senza possibilità di sosta. Arrivata a Thule, sbarcherò sulla sabbia e tirerò la canoa in secco. Per l'eternità.

A proposito, sono passata a salutare Lucianella, volevo capire che effetto mi avrebbe fatto rivederla. Sentivo di dover superare anche questo scoglio: l'ultimo, prima del mare aperto.

L'ho trovata all'imboccatura della grotta. Camminava in tondo su se stessa, rovistandosi la testa come se cercasse qualche larva. Si era ulteriormente imbarbonita e m'ha fatto una gran pena. Sentendomi frusciare tra i cespugli, ha sollevato lo sguardo. Erano occhi di cane, i suoi: gli occhi commossi di Argo che riconosce Ulisse. Ma a differenza del mitologico quadrupede, che spirò alla vista del suo amato padrone, il bipede Lucianella mi ha assalita, rabbico.

«Bastarda... bastarda...» ha mugugnato tra le bave. Poi è corsa a sciacquarsi il volto in un secchio, dalle cui acque è riemersa rilassata, e molto professionale.

«È un bel pezzo che non si fa vedere da queste parti, Ortensia...» ha detto, battendo un piccolo frustino di giunco sul palmo arrossato della mano «...ha messo su qualche chilo...»

«Smangiucchio...»

«Già. Nel mio ristorante analitico, invece, ha lasciato certi conticini in sospeso, lei conosce le regole della nostra cucina: da noi freudiani si paga, anche se si salta la seduta. Si paga tutto. Cos'è, non le sta più a cuore il suo malessere interiore?»

«Sto meglio.»

«Meglio?! Non dica cazzate, lei sta mettendo in atto una losca rimozione! E quella valanga di fantastiche fobie, che ne è di loro?»

«Latitano.»

«Oh, cielo! Lei è una nevrotica paranoide altamente a rischio. Lei, smaccatamente borderline, adesso mi diventa anche ingrata. Io ho abbandonato tutti i miei folti pazienti per occuparmi esclusivamente di lei, che mi scompare di punto in bianco, concia com'è, senza neppure una cartolina di preavviso. D'altronde, dopo la vile dipartita dei suoi genitori ridanciani, avrei dovuto aspettarmi di tutto. Che ingenua sono stata!»

«Lucianella, non è come crede lei: le cose in famiglia si sono complicate, e io di conseguenza ho dovuto, per così dire, semplificarmi...»

«Semplificarsi?! Che parola orribile! Lei è mentalmente turbata, tanto da mettere a repentaglio anni e anni di paziente lavoro. Ma io voglio ancora sperare, cercherò di riacciuffarla, non la lascerò andar via così. E non creda che lo faccio per etica professionale, io devo rispondere a un codice morale più intimo; io non posso lasciare in pasto al mondo un essere del suo calibro. Io e lei, Ortensia, siamo destinate all'internamento. Bisogna solo riabituare il palato. Forza, senza perdere un minuto, si accomodi sul lettino, e mi racconti qualcosa di squisitamente traumatico. Si sentirà subito meglio.»

Manola, non potevo deluderla. Sentivo che aveva bisogno di me. Così ho attaccato spedita con la storia mai metabolizzata dell'energumeno che mi ha fregato il parcheggio mentre stavo facendo manovra e, come se non bastasse, immediatamente dopo mi ha ricoperta di sberle e di insulti sessuali di schietto sapore dialettale, tipo "bocchinara".

Lucianella adora questo episodio della mia esperienza traumatologica. Ecco che le tornano il sorriso e i colori sul volto. La guardo, e penso che la mia Lucy è davvero una bellissima donna. Una donna colma d'ardore, infinitamente generosa.

«Bene, benissimo, Ortensiuccia cara, lei naturalmente sa che l'energumeno è solo un pretesto. Il vero quesito è questo: perché un ordinario episodio di ruvidezza urbana l'ha scossa così tanto? Il gigante fallico simbolizza la sua mancanza peniena. Perché questa è la sua ossessione. E pertanto bisogna scendere decisamente in profondità. È pronta? Forza, attrezziamoci. Muta invernale, maschera, boccaglio, pinne, bombole, erogatore, torcia, pesi massimi: immersione!»

Ci siamo vestite di tutto punto e abbiamo cominciato la calata. Lucianella, con l'occhio al profondimetro, scandiva euforica le tappe: «Trachea. Stomaco. Ombelico. Liquido amniotico. Ancora più giù! Ancora più giù! Un ultimo sforzo, Ortensia: andiamo ad acciuffare quel bastardo di suo padre...».

Manola, per me la discesa nei miei inferi ha sempre rappresentato qualcosa di molto stimolante, ma questa volta faticavo. Evidentemente, il cambio della dieta alimentare non giova all'analisi. Avevo mangiato di gusto a mezzodì. Il processo digestivo non era ancora ultimato, e quel bagno improvviso nel mio liquore mi faceva temere la congestione. Non era il caso di rischiare. Senza pensarci due volte, mi sono sganciata i pesi e mi sono lasciata portare su dalla forza di gravità. Lucianella, intanto, continuava a ispezionare la grotta, quatta come una cernia. Poi m'ha visto.

«Come si permette, Ortensia?!» ha gridato, mollando per un attimo l'erogatore. «Scenda immediatamente! Giù le pinne dal lettino!»

Stavo riaffiorando con la velocità d'un tappo di champagne, e già vedevo, con gioia, il limite azzurro dell'acqua sopra al mio capo.

«Stia attenta, Ortensia, è pericolosissimo risalire così. Non ha fatto la decompressione. Non ha fatto neppure uno straccio di decompressione! Sciagurata, si cali, bisogna prima elaborare. Elaborare...»

Ma, ormai, io sciacquettavo beata verso riva, guardando in basso senza alcun interesse, come se si trattasse di un fondale a me estraneo. «No» ho detto, «la ringrazio, io non voglio più essere elaborata: non sono una crema pasticciera. In realtà, io sono incazzata da svariati anni con l'energumeno, e se lei me lo consente, Lucianella, vorrei finalmente togliermi la soddisfazione di dargli un calcio nei testicoli.»

«Ovvio! Vuole prenderli a calci, perché lei, Ortensia, desidera quei testicoli. Li desidera smodatamente!»

«No, mi dispiace, ma non ho motivazioni così ortodosse, mi sento più prosaica. Sono incazzata con l'energumeno, perché mi ha fregato il parcheggio: ecco tutto. Togliamo di mezzo il resto. Per strada, ci siamo io e te. Punto. E tu sei un figlio di puttana, perché mi ha visto gracilina, irsuta, introiettata, e ti sei ficcato al posto mio. Punto. Tu non mi simbolizzi mio padre. Punto. Mio padre era una brava persona, abitava in piscina e ospitava nel suo vello un mucchio di bestiole. Punto. Lui non andava in giro a fottere i parcheggi. Punto. Tu mi simbolizzi solo lo stronzo che sei. Due punti: e adesso io finalmente ti spacco la faccia!»

Mi sono strappata il cinturone con i pesi dai fianchi e ho cominciato ad avanzare imperiosa, brandendolo come un'arma metropolitana. Ho sentito che dentro di me affiorava intatta una irriducibilità collerica, che nulla al mondo avrebbe potuto piegare.

«Lucianella!» ho gridato, «Lucianella, lei mi ha reso socialmente inane. Condannandomi all'interiorizzazione, lei ha privato il mondo di una persona che, a quel mondo, avrebbe potuto essere utile. Ergo, lei è una criminale!»

La cernia Lucianella, boccheggiante, s'è schiacciata contro la roccia – come ultima spiaggia – e ha cercato di far leva sulla mia vanità: «Calma, Ortensia, calma... Lei è un essere evoluto, non può mettersi in competizione con un povero periferico, vittima di una compulsiva coazione a replicare le violenze subite!».

Non credevo che i suoi impeti di castrazione arrivassero a tale meschina sponda, ho preso il fucile da sub e ho caricato l'arpione. Volevo stenderla. «Non me ne frega niente, se il padre dell'energumeno è un etilista selvaggio, se la madre è ricoverata al traumatologico, se la sorella è una prostituta eroinomane e lui si spacca il fegato di anabolizzanti in palestra. È come la storia di quello stupratore incallito che era stato violentato dal padre, dalla madre, dagli zii, dai nonni, dai bisnonni, che tutti a loro volta erano stati brutalizzati dai padri, dalle madri, dagli zii, dai nonni, dai bisnonni, che tutti erano stati brutalizzati dai trisavoli infoiati, che tutti erano stati brutalizzati dagli antenati, che tutti erano stati brutalizzati dagli ominidi del Pleistocene, che tutti erano stati brutalizzati dalle scimmie! Allora di chi è la responsabilità? Di quel primo branco di scimmie? Ma è arcinoto che le scimmie si sodomizzano senza pietà, e senza cerimonie. E allora? Si tratta soltanto di tradizioni familiari che si tramandano? No, basta con il placebo del passato, e che ognuno risponda di se stesso nel presente!»

Ho tirato il colpo. La cernia Lucianella, arpionata alla testa, è caduta in ginocchio. Spirando, ha balbettato: «Amore mio, che dici?».

Manola, ho raccolto le spoglie della mia analista per un'orecchia e ho gridato nel suo morituro padiglione freudiano: «Culo! Culo! Culo!».

Anemone

Manola, Poldo mi ha abbandonata. C'era un bel sole nel cielo stamani, io stavo guardando quel sole, e lui m'ha detto: «Vado a comprare gli stuzzicadenti». Non è più tornato. Sono stata ingenua, avrei dovuto insospettirmi perché lui i denti se li è sempre rovistati con lo scopettone di saggina. Ma quella palla di luce sembrava appesa nel cielo solo per me. Non pensavo proprio che sotto quel sole potesse capitarmi una cosa così.

Adesso, chi mangerà i venti metri di sformato rusticano? E che ne faccio del container di ventresche secche delle Ande? Sono una separata. Un'amputata, sono.

La prego, Manola, mi svegli, e mi dica che è solo un incubo. Mi dica che Poldo rientrerà in albergo, mi gonfierà di botte, e tutto tornerà come prima. Non doveva succedere. Non a me. Io, da sola, non sono niente. Con Poldo ero una coppia, e una coppia è comunque qualcosa di riconoscibile. In ogni caso, sempre meglio di niente. Dovrò comprare un manichino, mettermelo sottobraccio, e andare a spasso con lui.

Non voglio rimanere senza marito, non posso. Un

marito è qualcuno che ti tartassa nel privato, ma senza dubbio ti protegge dagli attacchi esterni. Con lui puoi invecchiare in santa pace, puoi spampanarti in sordina, puoi lasciare che la tua pelle si faccia sempre più aspra. Lui è il tuo affettuoso custode, conserva memoria delle tue forme fresche, e del tuo odorino di caramella. Con lui accanto anche la ragazza che sei stata resterà per sempre al sicuro. Ma se lui ti lascia si porterà via tutto di te. E per gli altri sarai solo una tardona adatta a qualche saccheggio notturno.

Diventerò terra di nessuno, chiunque potrà schiaffarmi le mani addosso. Per rimettermi in gioco, dovrò rifarmi il seno, dovrò andare in palestra con le vegliarde in body e bandana. Mi sveglierò all'alba, dentro qualche letto d'occasione con addosso solo l'odore di un estraneo. Scivolerò, insieme al sapone, lungo le maioliche della doccia e resterò in terra a piangere, senza potermi rialzare, perché sono troppo grassa, e nessuno verrà a raccogliermi.

Sono bruciata. Perché non mi sono infilata il cappotto sulla vestaglia per corrergli dietro, come avrebbe fatto ogni moglie di buon senso? Perché sono rimasta, speranzosa, a guardare il sole? Non ho capito nulla, finché Helmutta non è arrivata in albergo a riprendersi il suo regalo di matrimonio, e a sputarmi in faccia. Ora nessuno avrà più fiducia in me. Tutti gli insetti della valle mi faranno i loro bisogni addosso, come hanno fatto con papy. Intanto questo sole sfacciato continua a splendere. Perché non me lo stacca dal cielo, Manola?

Cosa resta di me? Chi sono io? Me lo dica, per favore. Ho smarrito i confini. Il matrimonio era il recinto del mio corpo. Adesso, se guardo un coscio di abbacchio, penso di essere io quel coscio. E allora, tanto vale infilarmi nel pentolone, e chiudere il coperchio. Manola, lei ce lo mette il rosmarino nella psicolabile in fricassea?

Ho sbagliato ad annullarmi così, avrei dovuto mantenere un margine di buon senso privato, una piccola zona franca di egoismo. Avrei dovuto essere più previdente. Avrei dovuto rubare un po' di denaro dalle tasche di mio marito. Una banconota al giorno, per tutti i giorni della nostra vita insieme, da infilare di nascosto nel reggiseno. Ma io non riesco mai a pensare al domani. Nel cielo, per me, c'è un solo sole.

Cosa mi rimane? Merda, nient'altro che merda. Una dispensa colma di barattoli. Lo ha mai guardato uno stronzo da vicino, Manola? Così caldo e denso, ripetitivo e unico nel contempo. In uno stronzo c'è tutto il senso della vita.

Ho telefonato a Lucianella, quella signora gentilissima che per anni è stata la psicanalista di Ortensia, forse gliene ho parlato, Manola. Ho preferito rivolgermi a una persona di fiducia che conosce bene la famiglia, così non sono obbligata a dare troppe spiegazioni. So che queste terapie durano molti anni, visto che, per ricostruirsi, bisogna prima disintegrarsi. Io, da questo punto di vista, sono già un pezzo avanti. Voglio dire, mi sento già abbastanza disintegrata.

Speravo in un aiuto sostanzioso. Invece, quando sono salita in grotta a farle visita, l'ho trovata cambiata, anche se si è dimostrata inaspettatamente socievole. La cinghiala aveva il capo bendato, però si sarebbe detta in ottima forma. Stava pitturandosi le unghie di un bel rosso ciliegia, e ha cominciato subito a parlare, senza interrompere la manicure.

«Razzolava bene Freud, faceva presto lui! Ai suoi tempi c'era un bel po' di materiale stuzzicante. C'erano valanghe di repressi, di isteriche, tante belle regole rigide, solide convenzioni, una frastagliata gamma di tabù, ideali lapidari, famiglione coriacee, signorine con i pruriti sotto i gonnelloni, nessun omosessuale dichiarato... Ma oggi, la musica è cambiata. Oggi, tutti se lo lasciano posizionare nel deretano con allegria, cara Anemone. Non esiste più il senso di colpa, non esiste più la famiglia, non c'è più neppure uno sputo di fede, una scorreggia di moralità a fare ostruzionismo. Tutto è stato raso al suolo. C'è solo siccità e miseria. Ortensia, lei sì che era formidabile, così Ottocento che s'affaccia al Novecento, così meravigliosamente fin de siècle! Ma ora che anche lei ha buttato ai pesci le squame del vecchio mondo, per tuffarsi arditamente nel nuovo millennio, tutto è perduto. Cosa mi consiglia, cara Anemone, la bocca la faccio come le unghie, o leggermente più prugnacea?»

Era passata al maquillage facciale, mi sembrava tesa, la sua inesperienza nel campo doveva pesarle. Avrei voluto aiutarla, ma stavo un po' sulle mie, perché non capivo dove volesse andare a parare.

«Non saprei cosa consigliarle, dipende da lei...» ho balbettato.

«No, non dipende da me, dipende dal messaggio» ha ribadito Lucianella. «Attraverso la colorazione delle labbra io voglio lanciare un messaggio, evidentemente sessuale, e non so se orientarmi su un linguaggio smaccatamente mantoideo, o se adoperare il metalinguaggio di una tonalità più blanda...»

Dopo un po' d'ambascia, ha scelto, senza ripensamenti apparenti, il linguaggio smaccatamente mantoideo.

«Sto male, può aiutarmi?» ho sussurrato.

«Temo di no, cara» ha detto la freudiana. «Piuttosto mi aiuti lei con l'imbraco.»

Ha tirato fuori da uno scatolone, made in Taiwan, un organo maschile di proporzioni ragguardevoli, e di ottima fattura.

«Come lo trova?» m'ha chiesto.

«Un autentico gioiello» ho risposto malinconica.

«Mi aiuti a collocarlo, io non so dove mettere le mani.»

Pensavo a una collocazione bassa, ma la freudiana ha insistito affinché glielo posizionassi in alto. «In testa» ha detto, «lo voglio in testa.»

Mentre le stringevo i lacci di quel simpatico copricapo, Lucianella mi ha sorriso con affetto. «Cara» ha detto, «io non posso continuare così, sono un'idealista. Nei nostri gabinetti freudiani arriva solo una massa informe di deficienti, quelli che dicono: ho un fastidio, forse è acidità di stomaco, o qualcosa di più interno. Quasi quasi mi faccio qualche seduta dall'analista; ho il cellulare, l'airbag, l'aria condizionata, la parabolica, il trans sotto casa, voglio anche l'inconscio, cazzo è un optional, lo voglio! Anemone, ormai è desolante questo mio mestiere, solo deficienti alla disperata ricerca di una profondità. Io non posso strutturare deficienti. D'estate fanno i subacquei, sventrano i mari, arpionano mucillagine e d'inverno vengono a immergersi da noi. Inutile, non trovo più nulla, le tane sono vuote, i mari sono morti...»

«Ma io sto davvero molto male...» ho sussurrato.

Lucianella mi ha carezzato dolcemente il viso. «Anemone» ha detto, «si iscriva alla lega per il ripopolamento del cefalo. Lì sì che si lavora sull'inconscio. La saluto.»

S'era fatto tardi, il mio sole, ormai, stava calando a picco dietro il monte, insieme a un uccello che volava sulla scia amaranto del tramonto. La psicanalista aveva fretta, rischiava di far tardi al lavoro. Sì, Manola, la povera Lucianella adesso si è adattata a esercitare la professione sui viali. Non è bello vedere una donna anziana così malridotta dopo tanti anni di studio, di lavoro intellettuale. Lei, comunque, non se ne fa una croce. Prima di andarsene, sbarazzina, ha sussurrato: «Cara Anemone, ogni speranza finisce in pesce...».

Ortensia

Ho incontrato Poldo alla stazione. Mi ha detto: «Ortensia, sono un uomo libero. Ho attraversato il guado, finalmente, mi sono innamorato di uno splendido uomo».

Il cielo si era addensato di nubi timide, che ancora lasciavano spazio al sole. Poldo, previdente, è corso a rifugiarsi sotto la pensilina. Era molto elegante: tailleur bianco, calze fumé con baguette, tacchi a spillo, beauty-case argenteo di serpente d'acqua, parrucca platino, collana di perle coltivate.

Mi è sembrato smagrato, vibratile, quasi etereo. Si rigirava l'anello di fidanzamento attorno al dito, e tutta la sua persona era ravvolta dentro una nuova e intenerente luminosità, come un profondo smarrimento. Si è morso un labbro con dolore, cercando la memoria di un sapore recente, quasi temesse di averlo già perduto. Aveva premura, correva verso una riconferma. «Ortensia» ha detto, «credimi, il mio Doctor è uno sperimentatore rivoluzionario: non è omosessualità la mia, è volontariato.»

Ci siamo guardati, e nel suo sguardo febbricitante c'era qualcosa d'impalpabile, una fierezza da neofita, mista a orgoglio militare.

Poi è arrivato il suo treno. La gente intorno si spintonava per salire, non c'era più tempo. Poldo mi ha preso una mano e l'ha stretta forte dentro le sue. Con un filo di voce, gli ho detto: «Aspetta, non puoi lasciarci, non adesso... Any ha il cancro, lo sai...».

«Sono in molti ad averlo» ha detto Poldy, restituendomi la mano.

Non ho potuto dargli torto, però ho insistito: «Ti prego, pensaci, non puoi scappare con un dottore...».

«Perché?»

«È il sogno erotico di tua moglie...»

«Orty, il treno passa una sola volta nella vita, mi dispiace.»

Alle spalle di Poldo intanto, trafelato, era giunto un giovane uomo in camice bianco con una maschera della commedia dell'arte sul solido volto dell'Est.

«È qui» ha detto Poldo, lasciandosi circondare amorevolmente dal braccio del suo compagno.

Il dottore mascherato mi ha porto la mano dicendo: «Piacere, dottor Zinzar, serbo dalla nascita».

Ho preso Poldo da un canto: «Non puoi metter su famiglia con l'oncologo di Any...» ho sussurrato.

«Oh, sì che posso. Tutto è possibile!» ha detto, e dopo essersi carezzato con delicatezza il ventre, dove affiorava una piccola rotondità, ha aggiunto: «Aspettiamo un figlio».

«È terribile...» ho balbettato.

«Non è terribile, è bellissimo, non aver più bisogno di voialtre. Siete troppo complicate, per noi.»

Il dottore mascherato s'è inserito nella nostra conversazione, con un sorriso ferino come la sua dentatura: «Voi parlate, noi facciamo i fatti» ha detto, e ha tirato via Poldo con sé, nella folla.

Le ultime immagini che ho avuto di lui sono state le natiche formidabili, sotto la morbidezza del crêpe de Chine, mentre saliva sul predellino, e un pieduzzo che indugiava dentro la scarpa, come quello di un'incerta Cenerentola. Poi si è perso per sempre, coperto da dorsi ignoti. Mi fanno sempre impressione gli addii, quando il nulla, un grigio scorcio di città, anonimi binari di ferro, s'inghiottono la familiarità d'un volto, il profumo d'una persona cara.

Mi era rimasta addosso una strana malinconia. Mi sono stretta al mio corpo solitario, e, passo dopo passo, diventavo sempre più triste. Sapevo il motivo di quella tristezza. Avevo voglia d'amore anch'io, di carezze furtive, di un cuore in subbuglio. Era ormai il tramonto. Gli umani che camminavano sul mio stesso marciapiede andavano tutti di prescia. Molti di loro, forse, correvano verso un amore, verso braccia protese nella notte. Due innamorati, stretti l'uno all'altro, mi sono passati accanto senza vedermi. Avrei voluto seguirli come facevo da bambina con i clienti, e chiedergli di tenermi un po' con loro, sotto il cappotto. Ma nel loro mondo non c'era posto per me. Ho stretto i pugni nelle tasche per farmi un po' di coraggio. Non mi andava di tornare in albergo e passare la serata con Any, pietrificata davanti alla tv, a parlare di quando era giovane e bella.

Camminavo, e intanto le strade erano sempre più vuote. I fari delle macchine mi lambivano, lasciando strisce fluorescenti nei miei pensieri. Un bus s'è accostato troppo, facendomi sobbalzare. Impaurita, ho mosso lo sguardo sul bisonte arancione. Oltre i vetri dei finestrini, pullulava la vita. Era una ressa di corpi maschili, neri non di sole ma di nascita, stipati come uova di storione. Evidentemente si trattava di un comunissimo drappello di extracomunitari che, dopo una lunga giornata di lavoro, stavano tornando alle loro stamberghe periferiche.

Il conducente ha aperto la portiera posteriore, proprio davanti alla mia figurina. Sono stata raggiunta da un olezzo caldo che mi ha turbata. Non era mia intenzione prendere un bus, non l'avevo mai preso in tutta la mia vita, e soprattutto non avevo alcun motivo di dirigermi verso il suburbio. Però cominciavo a sentirmi fiacca e infreddolita. Ho sbirciato dentro. I neri, nonostante la stanchezza e le condizioni disdicevoli del viaggio, sembravano tutti molto contenti. Stavano cantando una loro melodia etnica, mentre, arrampicato sulla macchinetta delle obliterazioni, un musicista, tamburellava le dita su una pelle tesa a tamburo sopra un grosso bricco di terracotta che teneva incastonato nel labbro inferiore. Ho buttato alle spalle la mia zavorra di dubbi e sono salita.

Una volta a bordo, i neri mi hanno festeggiata brandendomi in alto, su un trono di mani, come una piccola divinità. Mi ha fatto un certo effetto, Manola, trovarmi in balia di quelle scultoree muscolature, così dissimili, per consistenza e sapore, dal nostro scialbo carniccio. Naturalmente non parlavano la mia stessa lingua, ma ho subito intuito, dall'ardita gestualità, che mi invitavano a cercare con loro un linguaggio senza frontiere, fuori dal ghetto.

Ero stordita. Il bus correva nella notte. Oltre i vetri, anche la luna, lassù in cielo, sembrava ballerina come un bottone di madreperla cedevole su un lugubre cappotto. Intanto, le nerborute fattezze si addossavano a me. Inalavo il ristagno di tutti quegli odori carnali d'oltreoceano: primitive esalazioni di fiati, di ascelle, di vello pubico. Senza che io potessi trattenerli, i miei occhi si sono incamminati lungo quell'ammasso di membra impazienti, fino alle patte dei pantaloni, superbe porte di vita, dove languiva un inquilino clandestino, sgomento dalla fame e dalla siccità, che in quella notte apocalittica attendeva solo un soffio amorevole per riaccendersi in tutto il suo orgoglio.

Manola, quante riflessioni esistenziali si possono arguire dall'esatta percezione di quei bozzi murati. Quei poveri moracciони, rischiando la vita, avevano navigato, con il loro carico di speranze, su incerte chiatte in balìa di scafisti criminali, attratti dalle nostre coste di benessere. Ma la grascia occidentale è una menzogna. I nostri uomini soffrono di un atroce blocco della spermatogenesi, sono muniti di spermatozoi incredibilmente fiacchi e rintronati, a causa degli estrogeni, dei pesticidi, della psicanalisi, dei blue-jeans troppo aderenti alla materia, delle madri, dell'onanismo, o vattelappesca.

I clandestini intuivano i pensieri che arrossavano il mio pallido volto occidentale. Sempre più frementi, si stringevano a me. Dovevo accoglierli. Ho proteso il corpo, e ho sentito qualcosa di coriaceo, che mi premeva contro. Non so esattamente come spiegarle, Manola, una robustezza d'intenti sanguigni, precisa e solida nella sua mancanza di misericordia. Ma io volevo immolarmi.

Ho fatto un estremo gesto di resistenza. «Mio nonno... Mio nonno...» ho sussurrato, «lui, andava all'università con Benedetto Croce. Il vostro, di nonno, molto probabilmente, non è mai andato neppure alla materna. Tra noi c'è una profonda barriera culturale...» Ma chissene frega, Manola mia, chissene frega! Non c'era tempo da perdere. Ho guardato il cielo per l'ultima volta: la luna era franata chissà dove. Ho pensato: "Che sia... Che sia l'apocalisse!".

In quella notte di sommossa, aprendo ai neri la porta dei miei territori più intimi, io assolvevo a un compito storico. Manola, è nella tempesta che si vede il vero timoniere. Vento in poppa, mi sono rizzata e ho sentito che quello che stava accadendo era l'archetipo di ogni desiderio femminile, il mio animus junghiano era incarnato da quell'orda assatanata di uomini scuri, ignoti. Ho scaraventato giù dall'obliteratrice "labbro tamburato", e in piedi sulla macchinetta ho gridato: «Avanti, razze afflitte, avanti tutta! Basta con la xenofobia! Basta con il razzismo! Viva la tribalità! Viva la donna scimmia! Viva il servizio pubblico!».

Anemone

Stanotte, in sogno, ho incontrato il mio angelo custode.

«Perché non mi hai custodita un po' meglio negli ultimi tempi?» gli ho chiesto.

Lui mi ha detto che gli angeli non possono interferire nel libero arbitrio, il dono più grande che il Signore ci ha fatto, e che, comunque vada, a caval donato non si guarda in bocca. Poi, si è complimentato con me per aver scelto questa vita. «Non l'ho scelta, mi è capitata...» ho sussurrato. Il mio angelo custode ha scosso la testa, dicendo che il Signore non regala mai niente a scatola chiusa, e che offre a ogni umano, prima che nasca, una visione completa di quella che sarà la sua vita. Secondo lei, Manola, ha ragione il mio angelo custode: ho scelto io il mio destino?

In ogni caso, non devo più uscire allo scoperto, mi farò un lettuccio nello scatolo di Orty. Nel letto si nasce, si fa all'amore, si partorisce, e si muore. Sono così abbacchiata. Devo esercitarmi nell'autostima: sono bella, sono simpatica, sono intelligente, sono sexy... No, Manola, sono un mostro. Sono grassa e alcolizzata. Ho vissuto una vita inutile sotto una bolla viscida come la galantina di pollo che preparava mamy la domenica.

Dentro di me non c'è nulla, mi libro nel vuoto priva di gravità, come un astronauta sputato nello spazio. Voglio volare. Ma non riesco a muovere neppure una palpebra. Ho le vertigini, Manola. Colpa del cerume. Devo farmi stappare le orecchie. Non è vero, devo farmele staccare, le orecchie. Io ho male quaggiù, dentro.

Manola, in fondo, dentro la pancia, cosa c'è? Benzonio al sapore di mandorla, nitrati che durante la digestione diventano nitriti. Ho un cavallo nella pancia, Manola. Ma come si fa a non impazzire? È tutta colpa del mondo. Pareti sintetiche, mobilio che emana formaldeide, le suole di gomma delle scarpe, bombolette al fluorocarbonio, cefalee, insonnie, crisi maniacali, corpi umani che emanano gas mortali, fascite necrotizzante, morbi carnivori, cellule pazze, tutta colpa del mondo. Io sto bene. Madri di tutto il pianeta, vi supplico, non lasciate asfissiare i vostri figli dentro l'automobile al parcheggio del supermercato per andare a scopare con il cassiere!

E quei chiazzoni unti che galleggiano sul mare, Manola. Tutto quel petrolio che finisce sulle ali delle Fratercule arctiche. Sono lì, nella neve, immobili e nere. Voglio andare in Alaska a pulire quelle piume con la bocca, voglio succhiarle, una per una. No, non serve. Sono loro che vengono da me. Escono dal televisore e se ne vanno in giro per la mia cucina con i loro pieduzzi rossi palmati. Voglio mettermi carponi anch'io... Ma chi toglierà il petrolio dalle mie ali? Non c'è scampo. Tutti i miei colori stanno colando dai miei occhi come la pioggia dietro un vetro. Manola, dov'è il tromp l'oeil della stanza cilestrina? Tutto è buio intorno a me. Dov'è la lucina rossa del l'Exit? Dov'è la toilette? Dov'è il custode di questa puzza? Sono una formica. La vita è un macigno di paglia. Dove andiamo? Dove cazzo andiamo?

Manola, vorrei tanto un goccio di fernet, ma non posso. Dentro di me non c'è più spazio, è come se la bocca fosse attaccata direttamente al cu... al cu... non riesco più a dirlo. Pazienza.

Cucù, cucù, l'inverno non c'è più, è ritornato maggio al canto del cucù.

Forse dovrei ritirarmi in una comunità religiosa. Dev'essere bello pregare, mangiare in un grande refettorio, lavare cinquecento scodelle. Devo chiamare il numero verde. Manola, si dice che non si può desiderare ciò che non si conosce, eppure io sento di desiderare qualcosa che non conosco. Cosa?

Ortensia

Mi sono svegliata al capolinea, con la faccia schiacciata contro il sedile davanti. Il bus era vuoto, e fuori stava albeggiando. Mi faceva male il collo. Non ricordavo esattamente cosa fosse accaduto la sera avanti. Sapevo di aver perso la verginità, ma non mi sentivo triste. D'altronde, Manola, ogni volta che si cresce si perde qualcosa.

Ho guardato in alto, il cielo era livido. Sui fili della corrente elettrica, gli ultimi uccelli migratori si stavano accomiatando da un gruppo di malconci piccioni urbani, grigi di smog. Anche per me era ora di partire.

Sono tornata in albergo a prendere la canoa. Nel locale delle caldaie ho trovato il piccione Any, dentro il mio scatolo. Volevo darle qualche dritta sull'uso di quel confortevole rifugio. Per esempio, che lo sciacquone del cessetto chimico andava tirato con un colpo secco. Mi sembrava, però, talmente assente e stitica che ho lasciato perdere. Era avvolta da una logora coperta, l'enciclopedia Buggioni spalancata sulle gambe, e scuoteva la testa come un salvadanaio. M'è sembrato di riconoscerla, quella stereotipia.

Mi sono passata una mano sotto il mento. Non

c'era più traccia del malefico gozzaccio che mi aveva tormentato così a lungo. Lentamente, ho cominciato a riordinare il materiale nautico. Un filo di voce rauca, in uscita dallo scatolo, mi ha bloccata: «Lo sai che Nessy, il mostro del lago di Loch Ness è morto a causa dell'inquinamento?».

Ho guardato Any negli occhi, per darle fiducia, e ho sussurrato: «Ho sempre detestato quei marmocchi che trangugiano bevande effervescenti e poi svuotano i loro gassati pancini nei laghi...».

Any, allora, ha voluto saperne di più sugli ultimi ventisette condor della California. «Ce la faranno a sopravvivere?» ha chiesto.

«Certo che ce la faranno, diventeranno molto ricchi, molto obesi, molto popolari.»

Gli occhi di Any si sono velati di pianto: «E noi? Cosa ne sarà di noi?».

Non me la sono sentita di mentirle. «Noi, non siamo una specie protetta...» ho detto.

Pensavo al buon senso di mamy: chi fa otto gemelli ha un mucchio di sussidi, chi ne sputa fuori solo due deve vedersela da sola. Due gemelle sono una vera e propria calamità, sono qualcosa appena oltre l'ordinario, non c'è niente di peggio.

«Sai, cara» ho detto, «camminiamo su un filo dell'alta tensione... in bilico tra wurstel e animismo.»

Dal giardino arrivavano le voci di Grogo e l'iguanuccia, che giocavano a rincorrersi attorno al dondolo.

Any è uscita dallo scatolo. Ha appoggiato la schiena contro i tubi freddi della caldaia spenta, poi, stringendosi le braccia, ha sussurrato: «Se vietassero i coloranti il mondo scolorirebbe di colpo. Tu credi che il cielo sia blu?».

Avevo in mano la bussola: il nord era dietro di me. «Non lo so» ho detto, «non lo vedo il cielo.» Ho pulito con la mano il lucernario in alto, coperto di polvere. Fuori c'era aria di fine estate, di partenza, di sdraio accatastate in un canto. Sulla terrazza svolazzavano i panni stesi.

«Vedi» ho detto, «anche noi siamo così, carne appesa nel vento.»

Mi sono infilata il costume da bagno, e un brivido ha percorso la mia pelle.

«Il Novecento sta finendo...» ha detto Any, guardando anche lei il bucato.

«Già» ho detto, «non è stato un secolo clemente con nessuno... autostrade cibernetiche... sistema nervoso interattivo...»

«E del nostro sistema nervoso, Orty, che cosa ne sarà?»

«Forse un giorno, molto semplicemente, noi stessi non avremo più bisogno di noi.»

La mia sacca era pronta. Mi sono chinata a prendere la canoa di lische.

«Che tipo di vecchia vuoi essere?» ha chiesto Any.

«Non lo so.... Una vecchia fumatrice, credo, e tu?»

«Io non voglio invecchiare. Cercherò di morire giovane.»

«Tesoro, muore giovane colui che è caro agli dei. Ti consola?»

«No.»

Non volevo piangere. Anche Any stava cercando di resistere alle lacrime. Sembrava una bambina offesa. Allora ho preso la sua testa e l'ho stretta forte contro la mia. Ho respirato l'odore dei capelli di mia sorella, ne avevo bisogno, Manola, poi sono uscita.

Mi sono incamminata sul viale nel parco con la canoa in testa. Grogo e l'iguanuccia mi sono venuti dietro per un tratto. A un certo punto si sono fermati a baciarsi sotto una quercia. Tutti i loro chakra erano spalancati verso l'amore.

«Orty» ha gridato Any affacciandosi sulla terrazza, «cosa ne sarà dell'ultima cicogna del mondo?»

«Porterà sulla terra un grande uovo.»

«A due tuorli?»

«Puoi starne certa, tesoro.»

Il cielo, gonfio d'acqua, si stava facendo sempre più scuro. Gli uccelli volavano bassi cercando rifugio tra le chiome degli alberi. Sulla terrazza, Any svolazzava nel vento, agitando una mano.

«Orty, il tuo razzo!»

«Tienilo tu. Una notte, quando sentirai nostalgia di me, lancialo, Any. Io lo vedrò.»

Non potevo più leggere l'espressione del suo volto, ma adesso ero certa che stesse ridendo. Ho cominciato a correre.

«Orty! Orty!» Any gridava, richiamandomi a sé. Stavo oltrepassando il cancello, mi sono girata verso di lei per l'ultima volta: «Che c'è?».

«Orty, pensi che potremo tornare indietro?»

«Non lo so, chiedilo a Manola...»

«Non serve» ha detto mia sorella, «tanto non ci ha mai risposto.»

«Manola»
di Margaret Mazzantini
Bestsellers Oscar Mondadori
Arnoldo Mondadori Editore

Questo volume è stato stampato
presso Mondadori Printing S.p.A.
Stabilimento NSM - Cles (TN)
Stampato in Italia. Printed in Italy